Christa Kössner

Handbuch für Singles, die es nicht länger bleiben wollen

Der erfolgreiche Weg,
Zufriedenheit und Glück in einer von Liebe,
Vertrauen und Verständnis
geprägten Partnerschaft zu finden

WIND PFERD

1. Auflage 1995
© by Windpferd Verlagsgesellschaft mbH, Aitrang
Alle Rechte vorbehalten
Umschlaggestaltung: Wolfgang Jünemann
Lektorat: Karin Brunke
Gesamtherstellung: Schneelöwe, 87648 Aitrang
ISBN 3-89385-152-6

Printed in Germany

Widmung

Ich widme dieses Buch meinem Freund Karl in Liebe und Dankbarkeit. Es war seine Idee, allen Singles, die es nicht länger bleiben wollen, einen Weg aufzuzeigen, der ins eigene Zentrum und gleichzeitig zum Herzen des anderen führt.

Inhalt

Vorwort

Dieses Buch entstand auf wundersame Weise. Sein Inhaltsverzeichnis war eines Morgens spontan in meinen Gedanken, als wir – Karl und ich – uns drei Wochen kannten, und stand damit von Anfang an fest. Mittlerweile sind fast drei Jahre vergangen. Es gelang mir nie, ein Kapitel vorsätzlich zu schreiben – sondern immer nur dann, wenn ich mich mit meinem Freund in der Thematik des aktuellen Abschnitts befand. Oft wurde ich schon in der Morgendämmerung von einem unglaublich starken Impuls zu schreiben aufgeweckt – und ohne viel nachzudenken, kamen mir in einem oft sieben Stunden dauernden Schreibfluß Worte und Formulierungen in den Sinn, während sich das Geschriebene gleichzeitig in unser beider Leben tatsächlich abspielte.

Ich darf also heute – wenn das Buch als Ganzes fertig gestellt ist – sagen, daß die einzelnen Kapitel von zwei Singles, die es nicht länger bleiben wollen, sowohl in unser beider Vergangenheit, als auch gleichzeitig mit der Entstehung des Buches erlebt worden sind. Oft hörten wir wochenlang nichts voneinander ... und mehr als einmal schien unsere Beziehung zu Ende zu sein. Doch in entscheidenden Augenblicken fanden wir immer wieder einen Weg zueinander. Und so wurde es für mich langsam zur Gewißheit, daß unsere Verbindung von einer unsichtbaren Kraft gelenkt und getragen wird, die viel weiser, gütiger und liebevoller ist, als ich es je vermutet hätte. Ich danke allen Singles, die dieses Buch lesen, von ganzem Herzen für ihr Vertrauen und die Bereitschaft, Ihr derzeitiges Single-Dasein in einem anderen, neuen Licht sehen zu wollen.

Es war an einem ganz gewöhnlichen Donnerstag, als wir um fünf Uhr morgens nach einer traumhaft schönen Nacht erwachten. Die Musik der Regentropfen an den Fensterscheiben vermischte sich mit den sanften Tönen des Radioweckers zu einer harmonischen Melodie. Im Verlauf unseres glückseligen Morgengespräches entschlossen wir uns spontan, dieses Buch zu schreiben, um allen Singles, die einsam und verzweifelt sind, den Glauben an die Liebe zurückzugeben.

Ein Engel hat mich wachgeküßt
aus meinem schönen Traum
Jetzt weiß ich, wie die Liebe ist:
So groß, wie Zeit und Raum ...

Die wenigsten Singles suchen sich ihren Zustand freiwillig aus. Oft zwingen Schicksalsschläge und damit plötzlich veränderte Lebensumstände zu einem Dasein der Einsamkeit und Verzweiflung. Durch Zivilisation, Erziehung und Umfeld geprägt, werden wir noch dazu in Verhaltensmuster gedrängt, die unseren wahren Bedürfnissen nicht entsprechen. Doch wir wurden nicht geboren, um einsam zu sein und zu leiden, sondern um ein erfülltes Leben voll Freude, Freiheit und Liebe zu verwirklichen.

Ein Blick in Deine Augen –
sie sind so wunderschön ....
Ein Blick in diese Augen –
man kann so vieles seh'n ...
Es liegt darin viel Liebe,
Geborgenheit und Glück.
Ich fühl' in meinem Herzen:
Du bist von mir ein Stück.

Unser Glück und unsere Freude war so groß, daß wir alle „Singles", die es nicht länger bleiben wollen, herzlichst dazu einladen, anhand dieses Buches eine abenteuerliche Reise zu wagen – im Glauben, daß es für jeden wahrhaft suchenden Single den idealen Partner (die ideale Partnerin) gibt.

Es ist eine Reise ins eigene Innenleben, wo alle Steine zu finden sind, aus denen eine unsichtbare Wand entstanden ist, die sich scheinbar zwischen uns und den anderen befindet. Diese Wand ist ein Mosaik aus Erfahrungen, Verhaltensmustern, Zwängen und Ängsten. Doch ist sie immer das Ergebnis eines Mangels an Liebe. Was sonst könnte uns daran hindern, ein Lächeln zu verschenken, wenn wir einen Griesgram vor uns haben? Was, außer einem Mangel an Liebe, hätte sonst die Macht, uns davon abzuhalten, liebevoll zu bleiben, wenn der andere ärgerlich, wütend oder traurig ist? Jede lieblose Handlung einem anderen gegenüber ist ein weiterer Stein, der unsere eigene Wand höher werden läßt – so wie jede herzensstimmige Tat einen Stein entfernt und uns dem Du ein bißchen näherbringt.

Lieber unfreiwilliger Single, wenn Du dem Partner (der Partnerin) begegnen willst, nach dem (der) Du Dich schon immer gesehnt hast, bleibt es Dir nicht erspart, auf *Deine eigene* Wand zu blicken und diese Stein für Stein abzutragen – um schließlich zu erkennen, daß es eine solche eigentlich nicht gibt. Das, was Du bis jetzt als Hindernis oder Barriere empfunden hast, löst sich in Nichts auf, wenn Du erkennst, daß *Du selbst* es bist, der sämtliche Hindernisse aufgebaut hat, und daß Du selbst es daher wieder nur sein kannst, der sie zum Verschwinden bringt.

Vielleicht bäumt sich gerade jetzt etwas in Dir auf: „Aber er/sie ist doch immer so ...." Vorsicht! Genau jetzt in diesem Moment hast Du die erste Chance, einen Schritt *weg* vom Single-Dasein zu tun:

<u>Wenn Du erkennst, daß *Du selbst es bist,* der soeben dabei ist, die eigene Wand durch einen weiteren Stein zu erhöhen.</u>

Du bist es, der glaubt, daß der (die) andere an *Deinem* unglücklichen Zustand schuld ist und daß er (sie) sich ändern muß, damit es *Dir* besser geht. Doch ist es genau umgekehrt. Wenn *Du* Dir Zufriedenheit und Glück mit einem anderen Menschen wünschst, dann mußt auch *Du* Dich dafür einsetzen und etwas tun und sowohl Deine bisherige Einstellung als auch Dein Verhalten ein bißchen in Frage stellen und verändern – im Sinne des „Sich-selbst-mehr-Liebhabens" und Deiner Zuwendung anderen gegenüber.

Lieber Single, möge Dich dieses Buch anregen, einen Sprung ins Zentrum Deines Herzens zu wagen, und Dir helfen, Dich von vielem Hinderlichen zu befreien, das Dich zum unfreiwilligen Single gemacht hat.

Einleitung

Ich glaube, daß der Sprung ins Zentrum mit etwas Humor und Frohsinn leichter gelingen kann, als durch Traurigkeit, Wut oder Verärgertsein über den (im Moment noch) unglücklichen „Single-Zustand".

Von welcher Position Du den entscheidenden Bewußt-seins-Sprung vorbereitest, der den enttäuschenden Kreis-lauf: „Es war wieder der (die) falsche Partner(in) ... Es hat wieder nicht geklappt ... Ich beende die Beziehung ... Ich bin wieder allein ... Ich probiere es noch einmal ... Es war wieder der (die) falsche Partner(in) ..." ein für alle Mal unterbricht, ist für sein Gelingen nicht so sehr ent-scheidend wie Dein Entschluß, einen (Bewußtseins-) Sprung heraus aus dem Single-Dasein *tun zu wollen, weil Du Dir von ganzem Herzen eine Partnerschaft wünschst.*

Mit ein bißchen Humor möchte ich Deine Start-Position ver-deutlichen:

Minus-Single, auch Zwangs-Single genannt:

Besondere Kennzeichen:

Vom Leben hart geprüft,
läßt sich leicht unterkriegen,
düstere Stimmungslage,
gibt bei Mißerfolg sofort auf,
Negativ-Denker(in), was das andere Geschlecht betrifft ...

Null-Single:

Besondere Kennzeichen:

Vom Leben hart geprüft,
versucht seine (ihre) Lage zu verbessern,
Stimmungsschwankungen,
Zweifel, rasch wechselnde Gedanken (ja oder nein, geht's oder
geht's nicht ...)

Plus-Single:

Besondere Kennzeichen:

Vom Leben hart geprüft,
nimmt das vorübergehende Allein-Sein als Entwicklungschance
wahr,
heiter-optimistische Stimmungslage,
lernfreudig, aufmerksam,
dankbar ...

Kapitel 1

Wie Du zum Single wirst

Karls Weg

Wie kann man unter Menschen
so schrecklich einsam sein?
Du stehst in einer Menge
und fühlst Dich so allein ...

Sie reden, und sie lachen,
sie sehen Dich auch an,
doch Du – Du bist so einsam
und keiner sieht's Dir an!

Auch Du könntest erzählen
von Freundschaft und von Glück,
doch all dies ist vergangen
und liegt sehr weit zurück ...

Plötzlich wurde ich – zwar mit einer Vorahnung, jedoch in meiner eigenen Vogel-Strauß-Politik gefangen – in einen so völlig anderen, total ungewohnten und keinesfalls angenehmen Zustand hineingedrängt, mit dem ich absolut nichts anzufangen wußte. Ich wollte diesen Zustand nicht – doch das Schicksal forderte mich auf, einen Entwicklungsschritt zu tun. Obwohl ich das auf keinen Fall wollte, mußte ich nach 12 Jahren meine Partnerschaft aufgeben und wurde damit in eine Situation gedrängt (so empfand ich es damals), der ich rat- und hilflos gegenüber stand.

Im Alter von 46 Jahren, als ich längst nicht mehr so flexibel und anpassungsfähig war, wie ich das von mir zu diesem Zeitpunkt glaubte, wurde ich mit *dem* Phänomen unserer Zeit konfrontiert, das mich mit ungeahnter Vehemenz traf und niederschmetterte: „Single – unfreiwillig – unvorbereitet – was soll ich jetzt tun?"

Mit einem riesigen, unüberschaubaren Berg von Problemen aufgrund meiner Einsamkeit und meiner Kontaktschwierigkeiten belastet, zu deren Lösung ich anfangs keine einzige Idee hatte, erlebte ich täglich, was es bedeutet, ein unfreiwilliger Single zu sein. Dazu kamen noch die Schwierigkeiten der Wohnungssuche und eine Menge anderer Lebensprobleme, die ich in der ersten Zeit meines Single-Daseins oft als „Überlebens"-Ängste erlebte. Phasenweise glaubte ich, durch Selbstmitleid meiner tief gesunkenen seelischen Verfassung entfliehen zu können, bis auch das nichts mehr half und ich endlich erkannte, daß es noch einen anderen Ausweg aus meinem unbefriedigenden Single-Dasein geben muß, als mich in Selbstmitleid zu ertränken.

Der absolute Nullpunkt meiner psychischen und körperlichen Verfassung war erreicht, als ich aufgrund einer schweren Hüfterkrankung wochenlang an ein Krankenhausbett gefesselt war. Ich hatte meiner Leidenschaft, Eishockey und Squash zu spielen, über alle Maßen gefrönt. Die extreme sportliche Betätigung diente mir als Entlastungs-Ventil für meinen innerlich angespannten Zustand. Trotz starker Schmerzen, die sich nach einem Sturz auf dem Eis einstellten, machte ich wie besessen weiter. Ich wollte um keinen Preis zurückschalten – und holte mir damit die längst notwendig gewordene Zwangspause eines Krankenhausaufenthaltes, die sich aufgrund einer Knocheninfektion (ich bekam eine Medikamentenallergie) auf Monate ausdehnte.

Das Leben hatte mich in eine Situation gebracht, die man mit „ganz unten" bezeichnen könnte: Ein unfreiwilliger Single sein zu müssen, ohne zu begreifen, warum, mit tausend rotierenden verzweifelten Gedanken im Kopf und einem verwundeten Herzen, ohne Wohnung und Job (aufgrund von Rationalisierungsmaßnahmen war mir in der Zwischenzeit von meiner Firma gekündigt worden), mit einer äußerst schmerzhaften, infektiösen Knochenentzündung, einem kaputten Hüftgelenk, das laut medizinischem Gutachten nie wieder funktionieren würde, und Nierensteinen, die mir zusätzlich furchtbare Qualen bereiteten, hilflos in ein Krankenhausbett verbannt.

14

Das Glück hat mich verlassen,
das ist ein harter Schlag.
Ich lebe jetzt bewußter,
und lange wird der Tag.
Doch sag, was ist denn wirklich
das sogenannte Glück,
an dem wir so sehr hängen,
und dann bricht es Stück für Stück?
Ich muß mich nun entscheiden,
jetzt kommt es darauf an,
ob weiter ich will leiden
oder ob ich kämpfen kann.
Ich entscheide mich fürs Kämpfen!
Das ist mir ganz gewiß.
Drum darf ich niemals denken,
daß etwas sinnlos ist ...

Wenn man sich den Lebensweg als Wellenlinie vorstellt, so gibt es darin „Berge" und „Täler", und es ist deutlich erkennbar, daß die Linie gesetzmäßig nach jedem Tief wieder aufwärts verläuft. In den endlosen Stunden, die ich liegend verbringen mußte, festigte sich mehr und mehr meine innere Entschlossenheit, um mich und mein Leben zu „kämpfen". Diese positive innere Einstellung war der erste Schritt in Richtung nach oben.

Den zweiten Impuls verschaffte mir ein Buch über positives Denken, das mir eine Bekannte ins Krankenhaus mitgebracht hatte. Der Inhalt dieses Buches öffnete mir die Augen – denn was hier schwarz auf weiß geschrieben stand, hatte ich zum Großteil immer geahnt und im Innersten gefühlt. Ein Gedicht von Walther von der Vogelweide bestätigte meine im Unterbewußtsein vorhandene optimistische Lebenseinstellung:

Wer trifft den Leu,
wer weckt den Riesen,
wer überwindet den und diesen?
Das ist der,
der sich selbst bezwingt
und das Böse in sich niederringt.

Innerhalb weniger Tage verwandelte sich meine psychische Verfassung vom Negativen ins Positive.

Ich erkannte auch, daß ich selbst für meine Gesundheit und mein Wohlbefinden verantwortlich bin und das Notwendige *tun* muß, damit mein Körper gesund wird. Mein täglicher Leitsatz war: „Ich werde wieder ganz gesund", begleitet vom unerschütterlichen Glauben, daß dieses Wunder möglich ist.

Als erste Handlung veranlaßte ich meine Entlassung aus dem Krankenhaus auf eigene Verantwortung, obwohl ich mich nur mit Krücken, mehr kriechend als laufend, im Zeitlupentempo vorwärts bewegen konnte. In diesem schmerzerfüllten und leidvollen Zustand mußte ich den letzten Rest meiner Kräfte mobilisieren, da mein linkes Bein fast bewegungsunfähig war. Ein einsamer Krüppel auf einem neuen, unbekannten Weg, doch mit der Entschlossenheit – allen tiefliegenden Zweifeln zum Trotz –, diesen Weg gehen zu wollen, und mit der Gewißheit, es schaffen zu können.

Christas Weg

Solange ich zurückdenken kann, fühle ich in mir folgende Wesenszüge: Offenheit und spontanes Vertrauen anderen gegenüber, Sensibilität für die Probleme anderer Menschen und intuitives Erspüren des damit einhergehenden, tiefsitzenden seelischen Kummers.

Aufgrund meiner Lebensumstände war es mir jedoch lange Zeit nicht möglich, die Begabungen meines inneren Wesens in allen Lebenssituationen aufrecht zu erhalten und stets meinem innersten Gespür zu folgen, da auch ich vom Leben durchgeschüttelt und ziemlich hart geprüft wurde, insbesondere in bezug auf meine Gefühle.

Die Begabung, mich in die Gefühlswelt eines Du hineinversetzen zu können, bewirkte schon im Kindesalter eine Art Mittelpunktrolle unter meinen Gefährten. Andere Kinder scharten sich ständig um mich und folgten meinem Ideenreichtum. Ohne bewußtes Dazutun wurde ich als kompetenter Gruppenführer anerkannt. Ich habe diese Rolle nie willentlich angestrebt, denn mein Motiv, mit anderen zusammenzusein, Impulse zu geben, sie herauszureißen aus ihrer Isolation, kommt aus dem Herzen und einem tiefen Begreifen ihrer verzweifelten Einsamkeit.

Erst durch meine ständig wachsende Bewußtheit war es mir möglich zu erkennen, welch großes Geschenk der Schöpfung ich in mir habe: Ich glaube an eine Liebe, die Berge versetzen kann ...

Der stumme Schrei nach Liebe und Zuwendung hat viele Gesichter. Um dies erkennen zu können, verlief mein Lebensweg vorerst genau in diese Richtung, und zwar solange, bis alles in mir selbst nach Liebe schrie – bis ich mir endlich selbst mein Bedürfnis nach Zuneigung, Wärme und Liebe eingestehen konnte – bis ich endlich wieder so weit war, an das zu glauben, was schon seit frühester Kindheit meine Überzeugung ist:

> Das, was ich suche, ist *in mir.*

Ein „Umweg" von vielen Jahren der Einsamkeit und Verzweiflung, der Angst, des seelischen Kummers und der täglichen Überlastung als alleinerziehende Mutter mit der Bürde, für das Leben meines Sohnes allein verantwortlich zu sein, war dafür notwendig.

Die größten Hürden lagen im Überwinden der Schuldgefühle meinem Kind gegenüber und meiner Angst vor körperlicher Nähe und Sexualität. Nachdem ich mich aus der 8 Jahre dauernden Beziehung zum Vater meines Sohnes, einem verheirateten Mann, aus reinem Selbsterhaltungstrieb qualvoll losgerissen hatte, folgten Jahre der Entbehrungen und des (Über-)Lebenskampfes. Es blieb mir nichts anderes übrig, als „hart" und „emanzipiert" zu werden, obwohl mein Innerstes weich, liebevoll und verletzlich ist. Es blieb mir keine andere Wahl.

Ich erinnere mich an den ersten Brief vom späteren Vater meines Sohnes, der mit den Worten schloß: „Ich erlaube mir, Sie aufrichtig zu grüßen." Und ich weiß noch heute, daß mich das Wort „aufrichtig" veranlaßte, ihm zu antworten. Ich glaubte an seine Aufrichtigkeit und erfuhr erst viel später durch einen Zufall, daß er verheiratet und Vater zweier Kinder ist. Alle Trennungsversuche scheiterten, da ich mich stets von meinem Herzen leiten ließ und die Realität einer hoffnungslosen, gemeinsamen Zukunft nicht wahrhaben wollte. Nach fünf Jahren erwachte in mir der Wunsch nach einem gemeinsamen Kind, den ich offen aussprach. Mein Freund war damit einverstanden – es war uns beiden bewußt, daß wir ein Kind zeugten. Für mich war es die Erfüllung unserer Liebe. Für meinen Freund war es der Anlaß, sich schon in den ersten Monaten meiner Schwangerschaft von mir zu distanzieren. Ich habe 16 Jahre gebraucht, um die Folgen dieser Enttäuschung zu bewältigen – und auch heute noch ist die Angst vor dem „Im-Stich-gelassen-Werden" manchmal für mich spürbar.

In meiner Persönlichkeit gespalten (ich liebte meinen Freund noch immer), ihm Freundin und meinem Sohn Mutter zu sein, mit einer neuen Berufsausbildung (ich besuchte im Karenzjahr das Pädagogische Institut, um Lehrerin zu werden) tagsüber ausgefüllt und mit einem Säugling, der jede Nacht weinte, obwohl das die einzigen Stunden waren, in denen ich mein Lernpensum bewältigen mußte, schien es keinen Ausweg mehr aus der Lebenskrise zu geben. Meine zutiefst enttäuschten, verletzten Gefühle schrien nach Hilfe, nach Unterstützung, nach Zuwendung und Liebe – doch nach außen hin wurde meine Fassade immer härter.

Meine Lebenssituation forderte das Mobilisieren all meiner Kräfte, um das ausweglose, einsame Überlastetsein als junge Mutter bewältigen zu können.

Die Tatsache, trotz allen Kummers körperlich gesund zu sein, bescherte mir schon sehr früh eine Erkenntnis über mich selbst: Meine „Schmerzen" sind in der Gefühlswelt zu finden. Sie waren mir stets bewußt, und ich durchlebte wiederholt die „Hölle der Gefühle" von Angst, Verlassensein und Einsamkeit.

Im Laufe der Jahre, während mein Sohn heranwuchs, wurde ich nach außen hin immer distanzierter, während sich mein Innenleben, der Sitz von Liebe und Gefühl, immer mehr abkapselte. Ich wurde mir selbst fremder und fremder und identifizierte mich mit meiner vom Lebenskampf geprägten, pseudo-selbstsicheren Persönlichkeitsrolle. Ich konnte mein Innerstes nicht mehr spüren und ging dementsprechend genauso gefühllos mit den anderen um. Es schien, als wäre mein Herz ein Granitblock, der nur noch die Funktion eines Motors zu erfüllen hatte.

Während dieser Phase hatte ich zwei, drei kurze Affären mit Männern. Länger als fünf Monate hielt ich es nie aus. Danach folgte jeweils eine Erholungszeit von ein bis drei Jahren partnerlosem Dasein. Zu meiner Angst, für einen Partner nicht gut genug sein, kam noch eine andere: Die Angst vor körperlicher Nähe. Sie trieb mich bis an die Grenze meiner emotionalen Belastbarkeit. Bis ich bereit war, auch dieses Gefühl wirklich anzunehmen und zu durchleben, um endlich frei davon zu sein.

Viele Jahre lebte ich als personifizierte Diskrepanz von Innen und Außen. Irgendwie getrennt vom Wesentlichen, als wäre eine Mauer zwischen mir und den anderen. Eine Zeitlang glaubte ich, daß Angriff die beste Verteidigung ist, und hielt mir durch diese Geisteshaltung jeden möglichen Partner vom Leib. Wie gesagt, ich war mir selbst so fremd geworden, daß ich die Sprache der Annäherung und Zuneigung nicht mehr verstand! Alles Gute, das mir entgegengebracht wurde, wehrte ich ab – im falschen Glauben, daß alles „Männliche" auf jeden Fall *gegen* mich sei ...

Selbst meine Phantasie ließ mich im Stich. Ich konnte mir keine Bilder mehr vorstellen, die mich in der Gegenwart eines Mannes als liebens- und begehrenswerte Frau zeigten. Mein zutiefst verletztes Innenleben hatte sich abgekapselt – als wären all meine positiven, lebensfrohen Gefühle für immer verloren.

Doch das Leben gab mir eine neue Chance durch ein Erlebnis, das ich hier nicht näher beschreiben möchte. Am tiefsten Punkt meines bisherigen Lebens angelangt, erlitt ich im Alter von 43 Jahren einen totalen seelisch-geistigen Zusammenbruch. Erst 3 Jahre später war es mir möglich, dieses nahezu unbeschreibliche Erlebnis als Geburt eines neuen, geklärten Bewußtseins zu erkennen, das mir jetzt eine objektivere, umfassendere Sichtweise erlaubt.

Ein Herzenswunsch hat mich mein ganzes bisheriges Leben begleitet, und mein Glaube, daß er sich erfüllt, ist unerschütterlich: Ein gemeinsames Leben *mit* einem Partner voll Freude, Harmonie und Liebe.

Ich habe mehr als ein halbes Leben als Single verbracht – mögen meine Erkenntnisse daraus allen Singles, die es nicht länger bleiben wollen, helfen, ihren eigenen Weg zu finden.

Lieber Single, möge Dir stets die nötige Kraft, eine Portion Mut, konsequentes Durchhaltevermögen, unerschütterliches Selbstvertrauen und der Glaube, daß alles *gut* ist, in allen Situationen auf dem Weg zu Deinem Wunschpartner erhalten bleiben. Das wünsche ich Dir von ganzem Herzen.

Kapitel 2

Single-Verhaltens-Symptome

Fehlprogramm

Im Zeitalter der fortschreitenden Computertechnologie ist es kein Wunder, wenn das Wort „Programm" auch in einem Buch für Singles vorkommt. Denn es scheinen wirklich Fehlsteuerungen oder falsche Programme zu sein, die aufgrund eines geheimnisvollen „Befehls" abzulaufen beginnen und Dich bisweilen zu einem Verhalten veranlassen, das Du scheinbar weder stoppen noch irgendwie anders in den Griff bekommen kannst. Alle Vorsätze, einen früher beobachteten „Verhaltens-Fehler" (vielleicht fällt Dir jetzt einer ein) in Deiner nächsten Beziehung nicht mehr zu machen, sind augenblicklich weg – und Du befindest Dich zum x-ten Mal in der gleichen Lage, die Du zuvor schon oft erlebt hast: Du reagierst in einer ganz bestimmten Beziehungs-Situation – zum Beispiel einer Meinungsverschiedenheit mit Deinem Gefährten – wieder auf dieselbe Art und Weise wie in Deiner früheren Partnerschaft und strapazierst damit unnötigerweise Deine neue, vielversprechende Beziehung schon in der Anfangsphase. Und weil Du nicht verstehen kannst, warum Dir immer wieder dasselbe passiert, fühlst Du Dich um so mehr in einem Teufelskreis gefangen, dem Du scheinbar ohnmächtig und hilflos ausgeliefert bist.

Deshalb finde ich es so wichtig, gleich zu Beginn des vorliegenden Kapitels den Mechanismus der „Inneren Fehlprogrammierungen" ein bißchen durchschauen zu lernen, weil ich glaube, daß sich letztendlich alle Single-Verhaltens-Symptome darauf zurückführen lassen.

Wer jedoch immer wieder seine typischen Single-Verhaltensmuster auslebt und sich demnach wie ein typischer Single benimmt, darf sich nicht wundern, wenn weit und breit kein Partner in Sicht ist und die Erfüllung einer dauerhaften, glücklichen Beziehung ausbleibt.

Lieber Single, bevor Du also einen mutigen „Sprung in Dein Zentrum" wagst, wo sich derzeit bestimmt noch einige Fehlprogramme befinden, ist es wichtig zu erkennen, daß sämtliche Verhaltensgewohnheiten oder -muster etwas Gemeinsames haben:

> Es ist nicht einfach, diese an *sich selbst* zu erkennen – aber es ist möglich.

Kannst Du Dir vorstellen, daß es möglicherweise *Deine eigene* beziehungs*un*freundliche Verhaltensrolle ist, die bis jetzt Dein Glücklichsein mit einem Partner (einer Partnerin) verhindert hat?

Wenn nicht, so wird dies auf humorvolle Weise allen Singles, die sich ein bißchen mit einem Computer auskennen, rasch begreiflich. Doch sollen auch die „Computer-Neulinge" nicht zu kurz kommen und in die Funktionsweise ihres Unterbewußtseins-Computers, der für das Ablaufen von „Fehlprogrammen" zuständig ist, mit nachfolgender Darstellung eingeweiht werden.

Ein Computer oder sogenanntes Elektronengehirn speichert x-beliebige Programme und Daten, die man mit einem bestimmten Befehl jederzeit aufrufen und auf den Bildschirm holen kann.

Stell Dir nun vor, daß Dein Unterbewußtsein ein ebensolcher Speicher ist, wo alles, was Du in Deiner Vergangenheit erlebt hast, aufgezeichnet ist. Jede Begebenheit, jede noch so kleine Aktion, jedes Ereignis ist dort festgehalten. Und wenn Du Dich auch an vieles nicht mehr bewußt erinnern kannst, so ist es dennoch da und kann jederzeit auf den „Bildschirm" Deines Tagesbewußtseins geholt werden, was bedeutet, daß Du eine Szene aus Deiner Vergangenheit noch einmal ganz deutlich vor Dir siehst und auch die begleitenden Gefühle nochmals erlebst. So wie man Computerprogramme mit Hilfe eines bestimmten Befehls jederzeit aufrufen und ablaufen lassen kann, läßt sich auch Deine Vergangenheit aufgrund eines bestimmten „Befehls", den sogenannten Auslöser, aus Deinem Unterbewußtseinscomputer reaktivieren.

Lieber Single, Du mußt kein Computerfreak sein, um zu begreifen, was da geschieht: Wenn es möglich ist, daß aufgrund eines Auslösers plötzlich Bilder und Gefühle auftauchen, *die mit Deiner gegenwärtigen Situation und Deinem neuen Partner (Deiner neuen Partnerin) gar nichts zu tun haben,* dann wird es verständlicher, warum Du aufgrund vieler Mißverständnisse, die sich daraus ergeben, bis jetzt noch kaum einen Schritt weitergekommen bist bei der Erfüllung Deines Herzenswunsches – und deshalb ist es wichtig, den Mechanismus durchschauen zu lernen, der das Ablaufen Deiner „Fehlprogramme" zur Folge hat. Auch wenn Dir der Vergleich Deiner Psyche mit einem Computer ein wenig unmenschlich vorkommt, so bitte ich Dich trotzdem herzlich, weiterzulesen und die folgenden Zeilen als kleines Experiment zu betrachten, mit dem Du vielleicht eine andere, neue Sichtweise gewinnen kannst, was Dein Verhalten in Beziehungen betrifft.

Viele der heutigen Singles hatten traurige, enttäuschende, angstvolle Erlebnisse mit ehemaligen Partnern. Alkohol, Betrug, Unzuverlässigkeit, Lügen, Brutalität und ähnliches waren an der Tagesordnung, bis endlich die Konsequenz einer Trennung gezogen wurde, die der oft jahrelangen Qual ein Ende bereitet hat. Und mag auch die Zeit nach außen hin alle Wunden heilen und das Erlebte allmählich verblassen, existiert es nach wie vor in einer Art Ruhezustand im Unterbewußtsein. Wie auf der Festplatte eines Computers sind dort sämtliche unangenehmen, enttäuschenden Szenen in Form von Bildern und Gefühlen als Fehlprogramme gespeichert und wirken sich in Deinem jetzigen Leben immer noch beziehungsfeindlich und liebeshemmend aus, obwohl sie mit Deiner gegenwärtigen Situation, Deinem derzeitigen Partner (Deiner derzeitigen Partnerin) und mit dem jetzigen Augenblick gar nichts mehr zu tun haben!

Wenn Du plötzlich wie aus heiterem Himmel von Ärger, Zorn, Wut, Angst oder ähnlichem befallen wirst und Dich aus diesen Gefühlen heraus Deinem Partner (Deiner Partnerin) gegenüber wenig liebevoll verhältst und Du keine Möglichkeit siehst, Dein Benehmen zu stoppen oder zu verändern, kommt dies einer falschen Programmierung schon sehr nahe, weil Du durch das Ausleben und Nicht-Verändern eines vergangenheitsorientierten Verhaltens in Deiner jetzigen Beziehung (Schweigen, Trotzen, Schmollen, Rächen,

Davonlaufen, Trennen und so weiter) letztendlich *Dein eigenes Glück* verhinderst – denn wie könnte eine neue Beziehung gutgehen, wenn Du Dich immer wieder oder immer noch an das Negative klammerst, das Du früher mit einem ganz anderen Menschen erlebt hast?

Wenn es möglich ist, überholte Daten und alte Programme aus einem Computer herauszulöschen, dann muß es auch im Unterbewußtseins-Computer dafür eine Möglichkeit geben.

Die gespeicherten „Daten" Deiner vergangenen Erfahrungen mit dem anderen Geschlecht müssen ja heute gar nicht mehr stimmen! Laß Deine Vergangenheit ruhen – indem Du lernst, Deine frustrierenden, leidvollen Erfahrungen und die damit einhergehenden Gefühle als der Vergangenheit angehörig zu betrachten, die im gegenwärtigen Augenblick nichts mehr verloren haben. Gestärkt durch diese Einsicht wirst Du es leichter schaffen, die unbewußte Herzlosigkeit Deines immer wiederkehrenden Verhaltens wahrzunehmen. Es ist ein Fehlprogramm, das Dich zu diesem Verhalten zwingt, und es liegt allein in Deiner Hand, ob Du dieses ein für alle Mal „löschst", was bedeutet, daß Du Dich in der gleichen Situation (zum Beispiel einer Meinungsverschiedenheit) mit Deinem(r) Freund(in) *anders* (gelassen, verständnisvoll, ruhig, liebevoll und so weiter) verhältst als bisher.

Was ist das für ein Mechanismus, der Gefühle in Dir entfacht, mit denen Du absolut nichts mehr zu tun haben willst? Du hast genug davon, Du willst nicht mehr enttäuscht, verletzt, belogen oder angeschrien werden. Trotzdem scheinen Deine Partner(innen) durch eine Bemerkung, eine Geste, ein bestimmtes Verhalten, eine Eigenschaft genau diese wundesten Punkte zu berühren – und schon reagierst Du wieder auf dieselbe (beziehungs*un*freundliche) Art und Weise: Dein Fehlprogramm läuft ab, weil es einen entsprechenden „Befehl" (die Bemerkung, die Geste, das Verhalten, die Eigenschaft Ihres Partners) dafür bekommen hat.

Dieser seltsame Mechanismus läßt sich leicht erklären, da Dein Unterbewußtsein genauso in drei Schritten funktioniert wie ein echter Computer:

– Eingabe von Daten	=	Aufnehmen und Erleben von Situationen und Gefühlen
– Verarbeitung und Speicherung der Daten	=	Verarbeitung und Speicherung des Erlebten in Bild und Gefühl
– Ausgabe der Daten	=	Wiedererleben

Eingabe von Daten

Alles, was Du siehst und erlebst, wird von Dir aufgenommen. Das Leben selbst stellt Dir bestimmte „Daten" (Ereignisse, Szenen, Situationen) zur Verfügung, die Du gedanklich, gefühlsmäßig und mit Deinen Sinnen aufnimmst.

Verarbeitung

Alles, was Du siehst und erlebst, wird sowohl gedanklich als auch gefühlsmäßig verarbeitet, bevor Deine Erfahrungen ins Unterbewußtsein sinken und mehr oder weniger vergessen werden. Was Du erlebt und erfahren hast, ist aber nicht verloren, sondern in Form von Bildern mit den dazugehörigen Gefühlen in Deinem Unterbewußtsein aufgehoben und gespeichert.

Ausgabe von Daten

Deine Gefühle kommen dann an die Oberfläche und sind für Dich in der gleichen Intensität spürbar, wenn Du Dich gegenwärtig in einer ähnlichen Situation befindest wie damals in Deiner Vergangenheit. Sie werden aufgrund eines Auslösers (Bemerkung, Geste, Verhalten Deines Gegenübers ...) ausgelöst, der wie ein Befehl wirkt (!), und Dein Fehlprogramm (Verhaltensmuster) läuft ab. Ein Beispiel:

Eingabe von Daten

Du lebst seit geraumer Zeit in einer Partnerschaft. Durch einen Zufall kommst Du dahinter, daß Dein Partner (Deine Partnerin) eine intime Beziehung zu einer anderen Frau (einem anderen Mann) hat, die er (sie) schon längere Zeit vor Dir geheimhält. Mit einem Schlag verändert sich Dein vormaliges „schönes" Bild von Liebe und Zweisamkeit in ein anderes: In das Bild einer Partnerschaft, in der Dein Vertrauen zutiefst verletzt wurde. Schmerzlichste Gefühle begleiten diese traurige Erfahrung.

Verarbeitung und Speicherung von Daten

Aufgrund seines (ihres) Treuebruchs siehst Du Deinen Partner (Deine Partnerin) plötzlich mit anderen Augen. Du fühlst Dich im Stich gelassen. Angst, Wut oder Rachegelüste steigen in Dir hoch. Dein ursprüngliches schönes Bild von Zweisamkeit, das Du bis zum Treuebruch hattest, verliert an Intensität und wird nun von der neuen, wenig erfreulichen Erfahrung zusammen mit allen Gefühlen, die Du dabei empfunden hast, überdeckt. Dein jetziges „Bild" von Partnerschaft ist demnach kein sehr schönes, und damit wird auch verständlicher, warum sich Dein Wunsch nach einer glücklichen Partnerschaft nicht erfüllen kann: weil *Du* dieses Bild in Dir gespeichert hast und deshalb daran glaubst.

Ausgabe von Daten

Nehmen wir in unserem Beispiel an, daß Du Dich aufgrund des Treuebruchs von Deinem ehemaligen Partner (Deiner Partnerin) distanziert hast und seither schon einige Zeit vergangen ist.

Du lernst ein neues Du kennen und bist begeistert. In diesem Moment, in dem die Sehnsucht nach Zweisamkeit wieder aufkeimt, hast Du keinen Zugang mehr zu den Bildern und Gefühlen, die ja immer noch Deine Einstellung zu Partnerschaft, Zweisamkeit und Nähe bestimmen. In Deinem Unterbewußtseins-Computer befinden sich nach wie vor die Schreckensbilder Deiner Enttäuschung und zutiefst verletzte Gefühle. Um so vorsichtiger läßt Du Dich auf den neuen Freund (die neue Freundin) ein, und längere Zeit sieht es so aus, als hättest Du das ideale DU gefunden. Doch irgendwann erwähnt Dein neuer Freund (Deine neue Freundin), daß er (sie) das kommende Wochenende ohne Dich verbringen möchte. Diese Mitteilung trifft Dich wie ein Schlag in die Magengrube oder wie ein Stich ins Herz, und augenblicklich wirst Du von heftigen, schmerzlichen oder aufbrausenden Gefühlen überschwemmt, die Du weder unterdrücken noch beherrschen kannst und die Dich zu einer dementsprechenden, abweisenden, lieb- und verständnislosen Verhaltensreaktion veranlassen ...

Dein Unterbewußtseins-Computer hat einen „Befehl" bekommen. Die Mitteilung Deines Gegenübers war der Auslöser, der Deine momentan gespeicherte Vision von Partnerschaft (das heißt, betrogen und belogen zu werden) aktiviert hat. Das bedeutet, daß Du dieselben Gefühle wie damals (als der Treuebruch geschehen ist) spürst, *obwohl jetzt gar kein Grund dafür vorhanden ist!* Wenn Dein neuer Freund (Deine neue Freundin), zwei Tage ohne Dich verbringen will, so ist daran ist nichts Böses. Weil *Du* aber jetzt Deine verletzten Gefühle wieder spürst, glaubst Du gleichzeitig an Deine gespeicherten „Daten" als einzige Wahrheit: Du glaubst, daß Dein neuer Partner (Deine neue Freundin) an dem besagten Wochenende einen Treuebruch vorhat – obwohl dies gar nicht seine (ihre) Absicht ist –, und verhältst Dich ihm (ihr) gegenüber lieblos und abweisend, als wäre ein Vertrauensbruch bereits geschehen.

Lieber Single, dieses Beispiel läßt erkennen, wieviele Mißverständnisse zwischen Dir und Deinem (Deiner) Liebsten verhindert werden können, wenn Du diesen Mechanismus nur ein bißchen zu durchschauen lernst. Kurz zusammengefaßt geschieht also folgendes, wenn Du mit Fehlprogrammen aus dem Unterbewußtseins-Computer konfrontiert bist:

Durch einen Befehl, den sogenannten Auslöser (irgend etwas, das Dich an Deine Vergangenheit erinnert) können Bilder und Gefühle aus früheren Erfahrungen wieder lebendig werden, die jedoch mit der Situation, in der Du Dich *jetzt* befindest, nichts gemeinsam haben.

Dein neuer Freund (Deine derzeitige Freundin) weiß nichts davon, was *Du* früher alles erlebt hast, und kann daher gar nicht für das Aufwallen Deiner Gefühle oder Deine Verhaltensreaktionen verantwortlich sein. Wenn Du das anerkennst, welchen Grund könnte es dann noch geben, Deinem ahnungslosen Freund zum Beispiel wegen einer harmlosen, ehrlichen Mitteilung eine unschöne Szene zu machen?

Wenn Du lernst, Dich selbst zu beobachten und Deine als „falsch programmiert" erkannten Verhaltensweisen *immer weniger und schließlich gar nicht mehr auszuleben,* kannst Du diese als „gelöscht" betrachten. Und Du wirst staunen, wie rasch etwas Neues, Schönes, Besseres in Deinem Leben geschieht! Und solltest Du trotzdem wieder einmal mit einem „Auslöser" konfrontiert sein, der Dich an Deine Vergangenheit erinnert, kannst Du diesen gelassen oder heiter registrieren, ohne in Deine frühere Verhaltensrolle schlüpfen zu müssen – weil Du Dich entschieden hast, diese ruhen zu lassen.

Lieber Single, hab Geduld mit Dir selbst und zeige auch ein wenig Verständnis für die Reaktionen Deines Partners (Deiner Partnerin), solange Du das Ablaufen Deiner Fehlprogramme noch nicht ganz durchschaut hast. Ein oft jahrzehntelang gewohntes Verhalten und Berge von unterdrückten Gefühlen lassen sich nur selten von heute auf morgen verändern und auflösen. Mit diesem Kapitel will ich lediglich den Mechanismus aufzeigen, der immer wieder nicht erwünschte Gefühls- und Verhaltensreaktionen zutage fördert. Das Begreifen der Funktionsweise Deines Unterbewußtseins-Computers erscheint mir – wie schon erwähnt – deshalb so wichtig, weil jede neue Beziehung gefährdet ist, solange Du zwischen der jetzigen Situation (dem Auslöser) und Deinen früher gespeicherten „Daten" noch nicht klar unterscheiden kannst. Die Existenz Deiner leidvollen Erfahrungen soll damit jedoch keinesfalls geleugnet werden.

Wenn Du Deine Fehlprogramme erkennen und löschen willst, brauchst Du dafür Zeit, und die solltest Du Dir täglich nehmen. Blick zurück auf die Ereignisse des Tages und überprüfe sowohl Dein Verhalten anderen gegenüber als auch die dabei empfundenen Gefühle. Haben sie wirklich zur gegebenen Situation gepaßt? Schau genau hin. Was hat Dein Gegenüber gesagt oder getan? Wie hast Du darauf reagiert? Warst Du natürlich und locker? Oder glaubst Du, eine Rolle gespielt zu haben? Hast Du Dich damit wohl gefühlt? Oder wolltest Du am liebsten davonlaufen? Wenn Du Dir täglich diese oder ähnliche Fragen stellst und ehrlich beantwortest, wirst Du sehr bald herausfinden, ob sich Dein Verhalten tatsächlich auf den konkreten Augenblick bezogen hat oder wieder eines Deiner Programme aufgrund eines bestimmten Auslösers abgelaufen ist.

In Deinem Unterbewußtseins-Computer mögen sich vielerlei Fehlprogrammierungen befinden, die allesamt ihren Teil dazu beigetragen haben, daß Du jetzt Single bist. Doch in Deinem Herzen lebt nach wie vor Dein Wunsch nach erfüllter Zweisamkeit. Glaube daran. Der Glaube an Deine glückliche Vision wird Dir dabei helfen, sämtliche unerwünschten Fehlprogramme stillzulegen. Der unerschütterliche Glaube an das Bild Deines Herzens wird Dir Mut, Vertrauen und Sicherheit geben, daß Du diesen Prozeß durchstehen und meistern wirst.

Ein neues Bild entstehen lassen

Suche Dir einen Platz in Deiner Wohnung oder draußen in der Natur, wo Du Dich besonders wohl fühlst und wo Du ungestört bist. Nimm die für Dich bequemste Haltung ein und schließe die Augen, bis sich ein herrliches Gefühl der Ruhe und Entspannung einstellt. Stell Dir nun eine blühende Wiese vor, die vom Sonnenlicht überflutet ist, und Du bist mitten drin. Du hast Zeit für Dich selbst und genießt den Augenblick. Da kommt eine Gestalt auf Dich zu. Vielleicht ist es ein Mensch, den Du sehr magst und dem Du vertraust. Es kann aber auch ein Fremder (eine Fremde) sein, den (die) Du nicht kennst. Geh davon aus, daß dieser Mensch jetzt für Dich da ist. Spüre die Geborgenheit ringsumher, fühle die Liebe, die von dieser Person ausgeht. Er (sie) setzt sich zu Dir ins frische Gras und ist bereit, Dir zuzuhören. Erzähle alles, was Dich bewegt. Schütte Dein Herz aus – hier, wo Dich niemand stört oder beobachtet und Du jemanden an Deiner Seite hast, der nur für Dich da ist. Sprich Deine Sehnsucht nach Berührung, Trost und Verständnis aus und laß Dich umarmen und streicheln. Du kannst ganz sicher sein, daß die Zuwendung des Menschen, der jetzt bei Dir ist, aus dem Herzen kommt. Geh beruhigt davon aus, daß Dein Gefährte so lange, wie Du ihn brauchst, bei Dir bleibt. Du kannst Dir in herrlichen Bildern ausmalen, wie er (sie) Dir all das gibt, wonach Du Dich sehnst. Fühle die Liebe, die Dir entgegengebracht wird. Laß es zu, daß Du jetzt, in diesem Augenblick geliebt wirst, so wie Du bist. Endlich kannst Du Dich geborgen und sicher fühlen. Du brauchst nicht stark zu sein. Niemand ist da, der etwas von Dir verlangt. Du darfst Dein Wohlgefühl auskosten gemeinsam mit einem Freund an Deiner Seite. Wenn Du glaubst, daß es genug ist, danke der Person auf Deine Weise, so gut Du es kannst. Es ist nicht wichtig, viele Worte zu gebrauchen. Zeig Deine positiven Gefühle, die Du jetzt empfindest: Freude, Lebenslust, Zufriedenheit – was auch immer. Geh davon aus, daß Dein Dankeschön in dieser Form verstanden und angenommen wird, sei es auch aus Deiner Sicht tolpatschig oder unbeholfen. Die Sonne steht schon über dem Horizont. Es ist Abend geworden. Die Zeit des Abschieds ist gekommen. Gib Deinem Gefährten die Hand und spüre noch einmal die überströmende Wärme, die Euch beide verbindet. Öffne dann die Augen in dem Bewußtsein, daß Du mit Hilfe dieser kleinen Übung den Freund Deiner Phantasie immer herbeirufen kannst, wenn Du ihn brauchst.

Doch wie's da drinnen aussieht ...

Wenn man einen Raum betritt, in dem sich viele Menschen aufhalten, kann man spontan eine gewisse Strömung, eine bestimmte Atmosphäre wahrnehmen. Die Qualität dieser im Raum befindlichen Stimmung verstärkt sich in dem Ausmaß, wie mehr Menschen dasselbe ausstrahlen.

Ein simpler Vergleich: Es ist ein Unterschied in der Lautstärke, ob ein Mensch um Hilfe ruft oder 50 Menschen zugleich oder ob wir den Tönen einer einzigen Geige lauschen oder einem Streichorchester. Trifft man nun auf eine Ansammlung von Menschen, deren „Innere Instrumente" verstimmt sind, hat man es mit einem riesigen disharmonischen Orchester zu tun, das ein willkürliches Durcheinander von unangenehmen Schwingungen erzeugt.

Wie es also „da drinnen aussieht", im verborgenen Innersten einsamer Singles, mag für den einzelnen um so deutlicher werden, je öfter er sich unter Gleichgesinnten befindet. Jeder versucht nach außen hin sein Image zu wahren und sich locker zu geben, doch um so spürbarer wird für die Sensibleren, was so mühsam versteckt werden möchte: Mißtrauen dem anderen Geschlecht gegenüber, Einsamkeit, Verzweiflung, Hilflosigkeit, Angst, Unsicherheit, Empfindungslosigkeit – unter einem Deckmantel überzeichneter Fröhlichkeit bis hin zum völligen Abgestumpftsein ...

Es kann daher nur vorübergehend und nach außen hin eine Lösung sein, sich der Masse von Gleichgesinnten anzuschließen. Wenn Du jedoch Deiner eigenen Problematik näher kommen und wirkliche Lösungen herausfinden willst, die Dein Single-Dasein konstruktiv verändern helfen, mußt Du den alleinigen Blick auf Dich selbst wagen – wie's *in Dir* da drinnen wirklich aussieht, und den Mut haben, jene Un-Stimmigkeiten anzuschauen, die sich zwischen Deinen tatsächlichen Empfindungen und dem, was Du den anderen zeigst, befinden.

Wenn Du Dich nur noch mit gleichgesinnten Singles triffst, die ebenso wie Du versuchen, nichts von ihrer tatsächlichen inneren Verfassung nach außen dringen zu lassen, dann wird sich auch in Dir der Drang verstärken, Dich innerlich immer mehr zu verschließen. Damit konzentrierst Du aber Deine Aufmerksamkeit zu viel in eine Richtung, die Dich von dem ablenkt, was Du Dir wirklich wünschst und herbeisehnst: in einer glücklichen, erfüllten Beziehung mit einem Mann oder einer Frau zu leben.

<u>Und eine glückliche, erfüllte Beziehung ist zwischen Menschen nicht möglich, die einander nicht heran- oder gar hereinlassen.</u>

Der mutige Blick auf Dich selbst und das, was Du ununterbrochen zu verbergen versuchst, ist daher eine ganz wichtige Entscheidung. Sie ist der Vorbote, der Dich der Vision Deines Herzens schon einen Hauch näherbringt. Wenn Du eines Tages kein Single mehr sein möchtest, dann mußt Du Dich zuerst fragen, warum Du einer geworden bist. Wie sieht es „da drinnen *in mir* eigentlich aus? Wie und was denke ich, wie fühle ich mich, was spüre ich wo und wann?"

Denn die Ursache für Deinen gar nicht gewollten Single-Zustand kannst Du *nur* in Dir selbst finden. Und erst wenn Du sie gefunden hast, kannst Du etwas tun, das Deine Lage verbessert.

Es ist ein wenig liebesfreundliches Verhaltens-Symptom, das hier beschrieben wird. Wenn Du einem anderen signalisierst: „Es geht Dich nichts an, wie mir zumute ist", dann sendest Du ihm gleichzeitig die stumme Botschaft: „Komm mir nicht zu nahe." Und auch wenn Du das noch so geschickt zu tarnen versuchst, wird Dein Gegenüber dieses Signal auffangen und sich dementsprechend verhalten. Ohne daß Du es weißt, bist Du schon von vornherein auf Abgrenzung und Distanz programmiert, wenn Du unter besagtem Verhaltensmuster leidest. Wie also könnte Dir dann je ein anderer Mensch näherkommen? Und doch ist es genau dieses *einem Mann oder einer Frau Nahe-sein-Können,* das Du Dir so sehr wünschst!

Erinnere Dich an eine frühere Beziehung, die jäh wieder zu Ende war, obwohl sie so vielversprechend begonnen hatte. Kann es sein, daß *Du* Deinen Freund (Deine Freundin) nicht wirklich an Dich herangelassen hast? Ist es möglich, daß Du seine (ihre) Annäherungsversuche als unangenehmes „Zu-nahe-Kommen" empfandest? Bitte schau zurück und richte einen scharfen Blick auf Dein Verhalten. Vielleicht taucht jetzt eine bestimmte Szene auf und Du kannst Dich rückblickend noch einmal agieren sehen. Spüre noch einmal hin. Wie war Dir damals wirklich zumute? Und was davon hast Du wirklich gezeigt? Vielleicht ist es Dir jetzt sogar möglich, die wortlose Botschaft zu formulieren, die Du Deinem damaligen Gegenüber geschickt hast, so daß Du jetzt weißt, warum sich Dein Freund (Deine Freundin) von Dir abgewandt hat.

Warum eignet sich ein Single, der im Grunde seines Herzens gar keiner sein will, ein Verhalten an, das genau das verhindert, was er herbeisehnt? Die Absurdität dieser Tatsache ist eine traurige Angelegenheit für alle, die darunter leiden, ohne sich darüber bewußt zu sein.

Die größte Schwierigkeit liegt darin, dieses Verhalten an sich selbst zu erkennen als Vorbereitung für den nächsten Schritt, dieses Verhalten als Nähe verhindernd und beziehungsfeindlich zu erkennen, weil es die eigene Isolation und Abkapselung ununterbrochen bestätigt („Komm mir nicht zu nahe ...“)!

Lieber Single, Dein Herzenswunsch ist es, einen Mann oder eine Frau zu finden, dem (der) Du nicht nur äußerlich nahe sein willst. Du wünschst Dir genauso größtmöglichen Gleichklang und Übereinstimmung im seelisch-geistigen Bereich. Du willst mit Deinem Partner (Deiner Partnerin) nicht nur die gemeinsame Freizeit teilen oder die alltägliche Routine meistern. Du willst auch mit ihm (ihr) fühlen und Gedanken austauschen, Du willst Dich zeigen und ausdrücken, so wie Du bist, und wünschst Dir, als Ganzes von Deinem Partner angenommen zu werden. Doch wie könnte sich das je erfüllen, wenn *Du* Dich verschließt? Hätte denn irgendein Mann oder eine Frau die Chance, Deinem echten Wesen (ich meine damit nicht die Rolle, die Du spielst, siehe Kapitel 2, „Maskenspiel“) mit all seinen schönen und weniger schönen Seiten und mit all seinen Stimmungen und Gefühlen näher zu kommen, wenn Du diese hinter Schloß und Riegel hältst?

Es ist schon eine Portion Mut erforderlich, um in den eigenen Spiegel zu schauen. Doch wenn Du diesen Mut aufbringst, wird sich zugleich Erleichterung und neuer Schwung einstellen, sobald es in Dir geklickt hat: *„Ich bin es ja selbst, der niemanden heranläßt ...“*

Warum sich ein Single im Beisein anderer nicht so präsentiert, wie er sich fühlt, mag in der Überzeugung liegen, daß sich die früher erlebten Enttäuschungen mit dem anderen Geschlecht wiederholen könnten. Die Angst davor zwingt zu innerer Abgrenzung und Distanz, während gleichzeitig nach außen hin eine ganze Palette schillernder Fassaden gezeigt wird. Es ist ein schrecklicher Teufelskreis, der hier im Gange ist und um so deutlicher zum Ausdruck kommt, je mehr Singles zusammen sind. Konkurrenzdenken und zahllose Gelegenheiten, den „Partner“ zu wechseln, lenken immer mehr von der einzigen Möglichkeit ab, die es gibt, um eine der Ursachen für Deine nicht gewollte Partnerlosigkeit an der Wurzel zu packen:

Es liegt *an mir*, an *meinem* Distanzwahren und an *meiner* Verschlossenheit, daß ich Single bin. Und nur ich selbst kann dies verändern, wenn ich es möchte.

Lieber Single, wenn Du ein Durcheinander an Gedanken und ein Wirrwarr von Gefühlen mit Dir herumträgst und glaubst, daß Du vor anderen glänzen und Dich gleichzeitig innerlich abgrenzen oder verschließen mußt, wird dies auf Dauer sehr kräfteraubend für Dich sein. Und daher ist es so wichtig, einen bewußten Blick auf Dein inneres Chaos zu werfen. Nicht, um es zu verurteilen, und auch nicht, um sich deswegen leid zu tun, *sondern um es entwirren zu lernen*. Es *ist* für Dich notwendig zu sehen, „wie es da drinnen aussieht", denn aus allem, was Du dort vorfindest, setzt sich Dein momentanes Wesen zusammen. Und wenn Du Dich dazu entschließt, dem „Nur-keine-Nähe"-Symptom zu Leibe zu rücken, dann mußt Du vorerst die Bereitschaft und den Willen aufbringen, Dir selbst näher zu kommen.

Dies ist gar nicht so schwierig, wie Du vielleicht denkst. Es genügt, zu allem, was Du derzeit in Dir entdeckst, *ja* zu sagen:

Ja, ich fühle mich einsam und verlassen.
Ja, ich habe Angst vor einer weiteren Enttäuschung.
Ja, ich glaube, nicht gut genug, schön genug, stark genug, intelligent genug, schlank genug ... zu sein.
Ja, ich sehne mich nach Zuwendung und Geborgenheit.
Ja, ich brauche Sicherheit.
Ja, ich wünsche mir Zärtlichkeit.
Ja, ich denke schlecht, falsch, negativ ... über Frauen, Männer.
Ja, ich kann nicht verzeihen.
Ja, ich habe Vorurteile.
Ja, ich bin empfindlich und leicht verletzbar.

Setze die Kette Deiner Jas nach Belieben fort und sage zum Schluß noch einmal ganz laut *ja* zu Dir selbst – ein vollständiges *Ja*, das auch Deine weniger schönen, unangenehmen Teile mit einschließt, die Du bis jetzt glaubtest verbergen zu müssen.

Die ersehnte Nähe mit einem Partner (einer Partnerin) kann sich erst durch Dein bedingungsloses *Ja* zu Dir selbst einstellen.

Denn Du kannst von einem anderen nur das bekommen, was Du Dir selbst gibst: Akzeptanz, Zuwendung, Fürsorge, Zeit, Geduld, Verständnis, Mitgefühl, Liebe ...

Die verschiedenen Ausdrucksformen der Titelzeile „... doch wie's da drinnen aussieht ...“ mögen vielleicht auch in Deinem Leben eine Rolle gespielt haben, die das Bejahen Deiner weniger glanzvollen Persönlichkeitsteile bis jetzt unmöglich machten.

Und so kann es verständlicher für Dich werden, daß Du jedem, der sich Dir nähern wollte, ein verfälschtes Bild von Dir präsentiertest, das viele *Neins* zu Deiner derzeitigen inneren Verfassung enthält: Wenn Du bisher dachtest:

Lieber Distanz halten, dann kann mich keiner verletzen ..., dann sagst Du jetzt *nein* zu Deiner Verletzlichkeit.

Lieber verbergen, wie es in mir aussieht, denn so wie ich bin, mag mich ohnehin niemand ... , dann sagst Du *nein* zu Deinen Schwächen und Fehlern.

Lieber darauf achten, wie ich gut dastehen kann, als herauszufinden, was ich mir Gutes tun kann ..., dann sagst Du *nein* zu Deinen Bedürfnissen.

Lieber nichts tun und warten, dann kann ich nichts falsch machen ..., dann sagst Du *nein* zu Deinen Ängsten.

Wenn Du möchtest, kannst Du die Liste Deiner Neins nach Belieben vervollständigen und damit ein etwas ehrlicheres Bild von Dir gewinnen.Lieber Single, auch wenn Du es bis jetzt noch nicht geschafft hast, zu allem *ja* zu sagen, was „da drinnen“ in Dir existiert, so kannst Du vielleicht dennoch erkennen, daß der Werdegang Deiner Beziehungen davon beeinflußt wird. Dies bedeutet aber nicht, daß Du dieser Tatsache hilflos gegenüberstehen mußt. *Du bist kein Opfer Deines eigenen Verhaltens*, und Du kannst etwas tun.

Denn *Du* bist der einzige Mensch, der die Macht des Entschlusses hat, die Folgen Deiner bisherigen gedanklichen Einstellung „Distanz und Abgrenzung ist besser, als zu schauen, wie es da drinnen aussieht“, nicht länger auszuleben.

Wenn Du Deine Geisteskraft in eine neue Richtung lenkst, dann wird sich auch Dein Verhalten ändern: „Ich mag es *mir* nicht länger antun, durch mein ‘Das-geht-Dich-nichts-an-Verhalten’ sämtliche Möglichkeiten schon im Keim zu ersticken, einen Mann (eine Frau) *wirklich näher* kennenzulernen.“

Kein anderer kann Dir die Entscheidung abnehmen, *Dich von etwas zu befreien,* das Dich zum ewigen Single stempeln würde, der weder sich selbst nahe sein kann noch einem anderen Menschen, weil er nie gelernt hat zu sagen: „Wie es in mir aussieht, das geht sowohl mich als auch Dich etwas an ...“

Beziehungen, die oft so vielversprechend beginnen, müssen nicht gleich im Sand verlaufen oder ein jähes Ende finden, wenn Du ein bißchen von Deinem Innersten zeigst. Es kann sein, daß Dir schon allein der Gedanke daran eine Gänsehaut über den Rücken jagt. Wahrscheinlich glaubst Du dann, nicht liebenswert genug zu sein, wenn Deine Ängste, Deine „schlechten“ Gewohnheiten, Deine Verzweiflung, Dein Frust, Deine Sehnsüchte und Dein Hunger nach Zuwendung zum Vorschein kommen. Bitte gib Deine Versuche trotzdem nicht auf, von all dem etwas nach außen dringen zu lassen, indem Du lernst, Deinem Gegenüber immer offener zu zeigen, wie Dir zumute ist. Dies wird Dir um so leichter fallen, wenn Du davon ausgehst, daß jemand, der Dich wirklich mag, nicht davonlaufen, sondern sich Dir zuwenden wird, sobald Du echter und ehrlicher ausdrückst, was da alles in Dir „drinnen“ ist ...

Lieber Single, es kostet Dich viel Kraft und Energie, wenn Du ständig darauf bedacht bist, den vollen Ausdruck Deines ganzen Wesens in all seiner Vielfältigkeit zu unterdrücken. Das ist so, als würden auf einer Wiese nur die von Dir für „gut“ befundenen Blumen existieren dürfen, während Du ständig darauf fixiert bist, die Entfaltung der unzähligen anderen zu verhindern, die Du nicht sehen willst. Wird Dir jetzt verständlicher, wie mühevoll und kräfteraubend es sein muß, über ein solches Vorhaben die Kontrolle zu bewahren? Wenn Du schon über längere Zeit eine solche Einstellung Dir selbst gegenüber verfolgst, dann ist es nicht verwunderlich, wenn Deine Bedürfnisse nicht gestillt, Deine Ängste nicht aufgelöst, Deine Verhaltensmuster nicht erkannt, Deine Wünsche nicht erfüllt werden können – weil diese ja gar keine Chance haben, an die Oberfläche Deines Bewußtseins zu dringen. Möglicherweise befindest Du Dich in einem krassen Wechselspiel zwischen übertriebener Aktivität (dann lebst Du in einem Übermaß nur Deine für gut befundenen Seiten aus) und völligem Ausgelaugt-Sein (dann unterdrückst Du Gefühle oder Wesenszüge, die Du als nicht existenzberechtigt ansiehst) als Zeichen dafür, daß Du Dir selbst noch nicht nahe genug gekommen bist.

Da dies aber Voraussetzung ist, um mit einem Partner (einer Partnerin) wirkliche Nähe zu erleben, und das Dein Herzenswunsch ist, magst Du Dich zu einer neuen Einstellung Dir selbst gegenüber entschließen. Die nachfolgenden Sätze sind als Anregung dafür gedacht, Dein Denken in eine Richtung zu lenken, die Du bis jetzt zu wenig oder gar nicht verfolgt hast. Lies sie langsam und spüre in Dich hinein, ob der Wortlaut für Dich stimmt. Finde nach Belieben einen noch stimmigeren Text heraus und schreibe diesen auf ein Blatt Papier. Und wenn Du Dich zusätzlich darüber freuen kannst, daß Du soeben etwas Gutes für Dich selbst getan hast, mag es Dir gelingen, Dich dafür auch noch kräftigst zu loben. Bewahre Deine neue Einstellung wie einen geistigen Schatz und wiederhole sie täglich durch mehrmaliges Lesen. Wirkliche Veränderungen müssen zuerst im Geist geschehen, bevor sie als Ereignis in Dein Leben treten können. Und daher bist Du mit dieser Schreibübung schon jetzt Deinem zukünftigen Partner (Deiner zukünftigen Partnerin) ein kleines Stückchen näher gerückt.

Distanz in Nähe umwandeln

Ich wünsche mir von Herzen eine lebendige, glückliche Partnerschaft und will meinem Partner (meiner Partnerin) nicht nur äußerlich, sondern auch gedanklich und gefühlsmäßig nahe sein.

Dieser Wunsch hat sich bis heute noch nicht erfüllt. Daher bin ich jetzt bereit herauszufinden, warum dies so ist und durch welches Verhalten ich selbst dazu beitrage, daß ich Single bin.

Ich schaue nochmals zurück auf vergangene Beziehungen und stelle mir folgende Frage: Habe ich wiederholt gedacht und mich dementsprechend verhalten?

„Es geht Dich nichts an, wie mir zumute ist."

„Rück mir jetzt nicht zu nahe!"

„Laß mich in Ruhe, in Frieden, laß mich allein!"

„Wenn Du wüßtest, wie einsam, verzweifelt, ängstlich, verletzlich, mißtrauisch, besitzergreifend ... ich bin, lehnst Du mich sowieso ab."

Muß ich nur eine dieser Fragen mit *ja* beantworten, dann leide ich unter einem Verhaltensmuster, das für meinen nicht gewollten Single-Zustand mitverantwortlich ist, da ich durch meine eigenen Abschirmungsmanöver und durch mein eigenes Distanzverhalten wirkliche Begegnungen verhindere.

Ich gestehe mir nochmals meinen Wunsch ein, einem Mann oder einer Frau auch innerlich *nahe* sein zu wollen.

Dieser Wunsch kann sich nur dann erfüllen, wenn ich zuvor bereit bin, mir selbst näher zu kommen.

Dies geschieht, indem ich zu allem, was in mir derzeit spürbar ist, *ja* sage – und damit aufhöre zu selektieren, was meiner Meinung nach sein darf und was nicht.

Ich bin der einzige Mensch, der die Macht des Entschlusses hat, ein Verhaltenssymptom nicht länger auszuleben, das meinem eigenen Glücklichsein im Wege steht.

Damit dies gelingt, muß ich mich dazu entscheiden, eine neue geistige Einstellung zu gewinnen: Es geht sowohl mich als auch Dich etwas an, „wie's da drinnen" in mir aussieht.

Ich halte es für möglich, daß ein Mann oder eine Frau, der/die mich wirklich mag, nicht gleich davonlaufen wird, wenn ich ein bißchen von meinem Innersten zeige, das ich bis jetzt mühevoll verborgen hielt.

Ich lobe mich für jeden noch so kleinen Schritt, der mir gelingt, mein „Komm-mir-nicht-zu-nahe-Verhalten" in eine offen und ehrlich ausgedrückte „Das-empfinde-ich-jetzt"-Reaktion zu verwandeln, weil ich mir selbst dadurch immer näher komme.

Je näher ich mir selbst komme, desto näher rückt die Erfüllung meines Herzenswunsches: Nähe zu erleben *mit* einem Partner.

Das aufgeblasene Ego

Insbesondere bei männlichen Singles zeigt sich immer wieder ein Verhalten, das ich als „Aufblähen des Ichs" bezeichnen möchte. Nicht die Tatsache, *daß* jemand seiner Persönlichkeit kräftigen Ausdruck verleiht, wird von weiblichen Wesen als unangenehm empfunden, sondern nur *deren Überbetontheit im falschen Augenblick.* Sie scheint just immer dann aufzutreten, wenn Verständnis, Mitgefühl und *Zu*wendung angesagt wäre.

Unzählige Mißverständnisse in der Kommunikation zwischen Mann und Frau sind die Folge davon. Denn gerade dann, wenn eine Frau mit ihren verletzten Gefühlen zu kämpfen hat, würde sie die Unterstützung ihres „Ritters" brauchen und dessen liebevolles Entgegenkommen. Wenn aber eine Frau in einem solchen Moment (Auslöser!), wo der ganze Schmerz von früher hochkommt, statt dessen mit einem „Aufgeblasenen Ego" konfrontiert wird, das weder ihr Gefühls-Chaos noch ihre Hilfsbedürftigkeit wahrnimmt, dann ist es kein Wunder, wenn sie davonläuft.

Lieber männlicher Single, mit diesem Kapitel wende ich mich speziell an Dich mit der Bitte herauszufinden, ob sich ein solches ganz und gar unritterliches Verhaltens-Symptom etwa auch bei Dir zeigt. Nicht, weil das eine Kritik an Deiner Persönlichkeit sein soll, sondern von der Tatsache Deines eigenen Wunsches ausgehend. Wenn Du im Grunde Deines Herzens gar kein Single (mehr) sein willst und Du Dich nach einer Partnerin sehnst, mit der Du ein glückliches, aufregendes, erfülltes Leben in einer Art seelischer Geborgenheit führen willst, dann mußt Du Dir für das In-Frage-Stellen Deines Verhaltens ein bißchen Zeit nehmen und einen Rückblick auf frühere Beziehungen riskieren. Warum haben sie oft nur kurze Zeit gehalten? Und warum bist Du immer noch ein unfreiwilliger Single? Warum passiert es Dir immer wieder, daß die Dame Deines Herzens nicht beständig an Deiner Seite bleibt oder gar auf Nimmerwiedersehen davonläuft?

Ich habe schon wiederholt betont, daß jahrelang gewohnte Verhaltensmuster ein starker Gegner sein können, wenn es darum geht, *diese an sich selbst zu erkennen.*

Immer wieder laufen sie als Fehlprogramme ab, mit dem einzigen Zweck, daß *Du* die Folgen Deines Verhaltens eines Tages wahrnimmst und Dir bewußt wird, was *Du selbst* dazu beiträgst, daß Deine Beziehungen nicht von dauerhaftem Glück gesegnet sind.

Was verbirgt sich nun hinter der Fassade eines überbetonten, ego-bezogenen Verhaltens „Ich bin ich" (was kümmern mich die Bedürfnisse, die Ängste, die Probleme, Hoffnungen und Träume meiner Partnerin?)?

Lieber männlicher Single, bitte glaube nicht länger, daß Du mit einer solchen Einstellung zum Herzen einer Frau finden wirst – indem Du sie mit ihren Bedürfnissen, Ängsten, Problemen, Hoffnungen und Träumen einfach stehen läßt und ihr damit wortlos signalisierst: „Es ist mir völlig schnuppe, wie *Du* zurecht kommst."

Wenn sich Dein Ego wiederholt in einem solchen Gewand zeigt, dann kannst Du davon ausgehen, daß Deine bisherigen Beziehungen von einem gar nicht liebevollen Verhaltens-Symptom beeinflußt worden sind. Und wenn Du Dich dafür entscheiden willst, an dieser traurigen Tatsache etwas zu verändern, um die Qualität Deiner Beziehungen auf ein liebevolleres Niveau zu heben, dann solltest Du Dich vorher dazu entschließen, einen mutigen Blick in den eigenen Spiegel zu werfen. Bitte nimm Dir dafür Zeit – in dem Bewußtsein, schon jetzt etwas Gutes für Deine zukünftige Partnerschaft zu tun, und lies bitte noch weiter.

Vielleicht ist es Dir möglich, die Lieblosigkeit eines Verhaltens zu erahnen, das für Dein partnerloses Dasein mitverantwortlich ist.

Denn wenn sich das Ego in übertriebener Form aufbläht, hast du *nur* Deinen eigenen Vorteil im Auge, während Dein Gegenüber in seiner Einzigartigkeit (und dazu gehört einfach alles, was diesen Menschen einzigartig macht – nicht nur seine Schokoladenseiten, die Du zu schätzen weißt, sondern auch seine verletzten Gefühle, seine Bedürfnisse, seine Ängste, Hoffnungen und Träume) völlig ausgeklammert wird.

Bestimmt hast Du schon irgendwann jemand anderen aufgrund

seines Verhaltens als Egoisten bezeichnet, weil Du erkannt hast, daß dieser andere stets nur seine eigenen Ansprüche im Visier hatte. Du warst Dir absolut sicher, daß *Du* nicht zu der Gruppe Männer zählst, die das reibungslose *Funktionieren* einer Partnerin voraussetzt – in einer Partnerschaft (?), die *nur nach Deinen* bisher gewohnten Spielregeln abzulaufen hat ... Und deshalb kann es schon ein ziemlich harter Brocken oder gar ein Schock sein, das „Aufgeblasene Ego" dank einer konsequenten, ehrlichen Selbsthinterfragung *an sich selbst* wahrzunehmen.

Lieber männlicher Single, es hat wenig Sinn, jetzt darüber nachzugrübeln, was Du in früheren Beziehungen hättest besser machen können. Die Vergangenheit läßt sich nicht mehr verändern und ist ein für alle Mal vorbei. Wenn Du jedoch etwas Konstruktives tun willst, das Deine nächste Begegnung mit einem weiblichen Wesen zu einem neuen, ganz anderen Erlebnis werden läßt, als Du es bisher kanntest, solltest Du entschlossen sein, dem Aufblasen Deines Egos den Kampf anzusagen.

Warum hat es ein Ego überhaupt notwendig, sich aufzublähen? Was verbirgt sich hinter einem solchen Verhalten, das in blinder Rücksichtslosigkeit oft wild um sich schlägt? Es müssen keine körperlichen Schläge sein, die dann verteilt werden, wenn das Muster abzulaufen beginnt. Meinem Empfinden nach ist jede Form von seelischer Grausamkeit eine Folge davon.

Für die wahren Bedürfnisse seiner eigenen Seele taub und blind geworden, begegnet der Egoist – ohne sich dessen bewußt zu sein – seinen eigenen Gefühlen genauso teilnahmslos, wie denen seines Gegenübers. Ständig ist er in einer Art Warte- oder Beobachterposition, immer auf der Hut und scheinbar der Gefahr ausgesetzt, vom anderen nicht zu bekommen, was ihn zufriedenstellen könnte.

Das „Aufgeblasene Ego" ist voll Angst, daher strebt es einerseits nach Abgrenzung und Distanz „Ich bin ich – was kümmert es mich, wie Dir zumute ist ..." und will doch andererseits ständig etwas haben: „... also sieh gefälligst ein, wie ich behandelt werden möchte." Während die Panzerung in einer Art Selbstherrlichkeit immer härter wird, werden die eigenen Ansprüche (wenn auch wortlos) immer fordernder kundgetan, koste es auch einen sehr hohen Preis: Den Verlust einer Beziehung, die von menschlicher Wärme, behutsamer Zärtlichkeit, aufrichtiger Zuwendung und Mitgefühl getragen ist.

Wenn sich das Ego in übertriebener Form hochspielt, witterst Du als Betroffener wahrscheinlich irgendeine Gefahr, die Du nicht näher benennen kannst. Du spürst einen starken Drang, Dich schützen zu müssen, der so übermächtig sein kann, daß Du die aktuelle Tatsache direkt vor Deinen Augen nicht mehr wahrzunehmen imstande bist: Vor Deinen Augen befindet sich eine Frau, die genau jetzt – *da in ihr eine Gefühlsüberschwemmung stattfindet* – Deine starken Arme und Deine Unterstützung braucht ...

Gefühlsüberschwemmungen sind für ein weibliches Wesen kein Honiglecken, sondern eher eine Katastrophe. Im Moment des Auftretens einer solchen Welle fühlt sich die Dame Deines Herzens jeglicher Sicherheit beraubt. Und wenn auch ihr Hilferuf an *Dich* in seltsamer Gestik zum Ausdruck kommt (zum Beispiel Zappeln und Herumrudern unter Tränen, stummes Vor-sich-hin-Weinen), so bleibt es dennoch ein Hilferuf, mit dem an Deine ritterlich-starke Männlichkeit appelliert wird.

Lieber männlicher Single, vielleicht ist es Dir möglich, den absurden Zweck des aufgeblasenen Egos in einer solchen Situation wahrzunehmen:

> Es stempelt Dich selbst zum Hilflosen, der aus „Selbstschutzgründen" vor einer Gefahr flüchtet, die gar nicht da ist (!), aber nach außen hin den großen, starken Mann auf lieblose Weise hervorkehrt.

Es geht nicht darum, Deine Schutzmechanismen zu kritisieren, die Du vielleicht brauchst, weil Du ja auch schon verletzt worden bist und möglicherweise viel Frust mit dem weiblichen Geschlecht erlebt hast. Es geht nur darum, ein Verhaltensmuster zu erkennen, das bis jetzt Dein Glücklichsein *mit* einer Partnerin (leider erfolgreich) verhindert hat, so daß Du deshalb noch immer ein unfreiwilliger Single bist.

Das Aufblähen des Egos soll mit aller Macht verhindern, daß Dein Gegenüber etwas mitbekommt – von *Deiner* Unsicherheit, von *Deiner* Verletzlichkeit, von *Deinen* Ängsten, die verfälscht und somit unehrlich zum Ausdruck kommen, wenn das Muster als Fehlprogramm abläuft. Es ist das *Muster*, das Deine Beziehungen stört, und nicht die Tatsache, daß Du als Mann auch verletzbar sein darfst.

Glaubst Du wirklich, daß eine Frau, die Dir zugetan ist, gleich davonlaufen wird, wenn Du ehrlich ausdrückst, wieviele Ängste vor einem weiteren „Schiffbruch" noch in Dir schlummern? Und wie unsicher Du Dich fühlst, weil Du mit den Gefühlsausbrüchen Deiner Partnerin so gar nicht recht umzugehen weißt? Wenn ja, dann kannst Du Deine Meinung verändern, indem Du einem neuen Gedanken die Chance gibst, sich zu entfalten:

> <u>Es ist ein Zeichen von *Stärke* (nicht von Schwäche), wenn ich meine Ängste, meine Unsicherheit, meine Verletzlichkeit (oder ähnliches) zugebe und ehrlich zum Ausdruck bringe.</u>

Nur ein wirklich Starker hat nichts zu verbergen. Weder vor sich selbst, noch vor der Dame seines Herzens, und deshalb braucht er sich nicht aufzublähen. Nur ein wirklich Starker fühlt sich durch nichts bedroht. Er hat es daher gar nicht nötig, sein Ego aus „Selbstschutzgründen" hochzuspielen – in einem Moment, *in dem seine Stärke wirklich gebraucht wird: Wenn die Gefühlswelt einer Frau zusammenbricht.*

Es ist ein Zeichen von Stärke, wenn Du in einem solchen Augenblick als Ritter handelst, indem Du Dich der *vorübergehenden* Hilflosigkeit Deiner Partnerin zu-wendest, indem Du ihr mit-fühlend begegnest und Dir gleichzeitig Deine eigene Unsicherheit eingestehst, wie Du das machen könntest. Es kann zum Beispiel auf keinen Fall schaden, wenn Du Dein weibliches Gegenüber in Deine starken Arme schließt, bis die Welle vorüber ist.

Lieber männlicher Single, vielleicht hat Dich dieser Abschnitt ein wenig nachdenklich gestimmt. Und wenn es so ist, daß auch in Deinen Beziehungen ein aufgeblasenes Ego zum Vorschein kam, von dem Du gar nicht wußtest, daß Du es hattest (Verhaltensmuster laufen so lange unbewußt ab, bis man sie als solche erkennt), dann magst Du einen Schluß daraus ziehen, den Du auch als Übung durchführen kannst. Die Sätze der nachfolgenden Schreibübung sollen Dir als bewußtmachende Impulse dienen, die Du nach Deinem Empfinden ändern oder ergänzen kannst.

Stärke zeigen

Ich wünsche mir ein glückliches, liebevolles Zusammensein mit einer Frau.

Dieser Wunsch hat sich bis heute noch nicht erfüllt. Daher bin ich entschlossen herauszufinden, warum dies so ist und durch welches Verhalten ich selbst dazu beitrage, daß ich Single bin.

Ich blicke zurück auf frühere Beziehungen. Habe ich beim Anblick der Hilflosigkeit meiner Partnerin wiederholt gedacht und mich dementsprechend verhalten:

„Was geht mich das an?"
„Rutsch mir doch den Buckel runter!"
„Was will die von mir?"
„Du könntest froh sein, daß Du mich hast."
„Es gibt hundert andere Frauen, die mich wollen."
„Heiraten? Wozu? Ich bin so auch zufrieden."
„Was fällt Dir ein, mir etwas vorzuheulen?"
„Du störst mich."
„Merkst Du nicht, wie lächerlich, hysterisch, kindisch, unmöglich etc. Du bist?"
„Wegen meiner kleinen Affäre machst Du so einen Zirkus?"
„Einen Mann wie mich wirst Du nicht mehr finden."
„Die ist um keinen Deut besser als die anderen."
„Ich tue, was ich will."
„Ich bin ein Mann. Aber Du brauchst einen Softi."
„Ich kann auch ohne Dich leben!"
„Du wirst nie von mir hören: Ich liebe Dich."

Muß ich einen oder mehrere Gedanken bejahen, dann leide ich vermutlich an einem Verhaltenssymptom, das für meinen nicht gewollten Single-Zustand mitverantwortlich ist.

Durch mein unritterliches, liebloses Verhalten habe ich bis jetzt meiner wahren Stärke keine Chance gegeben, sich zu entfalten.

Wahre Stärke drückt sich durch *Zu*wendung aus, indem ich der Dame meines Herzens Kraft gebe, wenn ihre vorübergehend aussetzt (dies geschieht zumeist während einer stattfindenden Gefühlsüberschwemmung im Augenblick).

Wahre Stärke beweise ich auch, wenn ich weder vor mir selbst, noch vor der Dame meines Herzens etwas verbergen muß. Dazu gehören meine (ab und zu auftretenden) Ängste, meine (zeitweise) Unsicherheit und meine (leichte) Verletzbarkeit.

Ich bin der einzige Mensch, der die Macht der Entscheidung hat, ein Verhaltensmuster nicht länger auszuleben, das meinem Glücklichsein bis jetzt im Wege stand.

Damit dies gelingt, muß ich mich entschließen, eine neue geistige Einstellung zu gewinnen:

Ich habe ein gesundes Ego *und* ein starkes, liebevolles Herz.

Mit jeder Handlung, die mein „Schließlich-bin-ich-ein-(egoistischer)-Mann"-Verhalten in eine „Jetzt-(wenn-Du-mich-brauchst)-bin-ich-für-Dich-da"-Aktion verwandelt, gebe ich Kraft und Liebe.

Je öfter ich das tue, desto näher rückt die Erfüllung meines Wunsches: menschliche Wärme und seelische Geborgenheit zu erleben *mit* einer Partnerin.

Die arrogante Unnahbarkeit

Hinter dieser Titelzeile verbirgt sich ein Verhaltensmuster, das eher beim weiblichen Single auftritt.

<u>Es ist die verfälscht zum Ausdruck gebrachte Überreaktion eines feinsinnigen, sehr verletzlichen Menschen, ein arrogant wirkender Abgrenzungsversuch vor einer Gefahr, die in der Kommunikation mit einem Mann zu liegen scheint.</u>

Einigen Herren auf Freiersfüßen mag die kühle bis eiskalt demonstrierte Fassade einer Frau, die sie so liebend gern kennengelernt hätten, noch in unangenehmer Erinnerung geblieben sein: „Die hat mich schon von weitem abblitzen lassen ..."

Daher widme ich dieses Kapitel insbesondere den weiblichen Singles mit der Bitte, es nicht als ausschließliches In-Frage-Stellen ihrer Abschirmungsmanöver aufzufassen, die sie zum Bewahren ihrer *natürlichen* Grenzen brauchen. Ich will damit nur die Folgen eines möglichen Fehlverhaltens aufzeigen, das *Deinem eigenen* Glück und der Erfüllung Deines Wunsches nach harmonischer Zweisamkeit entgegenwirkt.

Die „Arrogante Unnahbarkeit" tritt häufig dann auf, wenn realitätsbezogene Kommunikation mit einem Mann angesagt wäre.

Kaum nähert sich ein männliches Wesen, und sei es nur, um eine harmlose Frage zu stellen, läuft das Muster in etwa so ab: In verkrampfter Steifheit und mit bisweilen hochgehobener Nase wird von der Betroffenen schon von weitem eine Botschaft signalisiert, die der aktuellen Situation überhaupt nicht angemessen erscheint: „Mit mir kannst Du das nicht machen ...", während die Frage, was das (Schreckliches, Furchtbares, Grausames, Widerwärtiges ...) sein könnte, für den sich arglos nähernden Mann unbeantwortet bleibt. In einem Augenblick, in dem lockeres Abwarten angesagt wäre, was ein möglicher Verehrer oder zukünftiger Freund (!) vorzubringen hat, sendet die anvisierte Frau die nonverbale Botschaft „Bleib mir ja vom Leibe" in einer sehr unangenehmen Form: Stolz, arrogant und hochgehobenen Hauptes wird dem sich Nähernden eine Art Kampfansage übermittelt – also bereits *vor* einer tatsächlichen Kontaktaufnahme oder einem stattfindenden Wortwechsel. Die Chance *herauszufinden*, ob da bloß jemand nach der Uhrzeit fragen will oder es ein wirklich Interessierter ist, der da näher kommen möchte, wird also weder wahrgenommen noch genutzt.

Lieber weiblicher Single, wenn Du Dich in dieser Beschreibung auch nur ein bißchen wiedererkennst, dann mögen Dir die Folgen

Deines Verhaltens bewußter werden, die ich mit nachfolgender Phantasiegeschichte ein bißchen humorvoller darstellen möchte:

Da ist ein ganz weiches, liebevolles, weibliches Wesen mit der großen Sehnsucht nach einem zärtlichen, gutmütigen Partner im Herzen. Und weil es schon so oft verletzt oder mies behandelt worden ist, hat es einen Stacheldraht um sich herum gewickelt, der so dicht ist, daß man ihn schon von weitem sehen kann. Ringsherum spielt sich das Leben in bunter Vielfalt ab, während die Betroffene hinter ihrem selbst konstruierten, drahtig-stacheligen Gefängnis lieber beobachtet, als daran teilzunehmen. Und weil sie der festen Überzeugung ist, daß alle Männer schlecht sind, hat sie sich etwas geschworen: „Mit mir nicht (mehr)!" Erfolgreich werden sämtliche „Bösewichte" in die Flucht geschlagen, bis schließlich keine mehr da sind. Eines Tages aber nähert sich ein mutiger Ritter, der sich von der Tatsache eines undurchdringlichen Drahtnetzes nicht aufhalten läßt, weil er dahinter die Prinzessin seines Herzens vermutet. In der Gewißheit, das Richtige zu tun, ruft er ihr vorsichtig, höflich und freundlich etwas Belangloses zu, um damit seinen gut gemeinten Annäherungsversuch auf rücksichtsvolle Art und Weise auszudrücken. Die wortlose, durch unnahbare Arroganz übermittelte Antwort „Komm ja nicht näher!", die er daraufhin empfängt, versetzt ihn allerdings in großes Staunen: Zu-wendung ist hier ja gar nicht gefragt! Und so wendet er sich einer anderen Dame zu, die über sein Kommen erfreut ist. Zurück bleibt ein einsames, weibliches Wesen mit tausend rotierenden Gedanken im Kopf, die die brennende Frage des Herzens zufriedenstellen sollen: „Warum habe ich kein Glück mit Männern?"

Lieber weiblicher Single, wenn Du Dich in diese Phantasiegeschichte ein bißchen hineinleben konntest, dann ist es Dir bestimmt auch möglich, die Antwort auf die letzte Frage nachzuempfinden:

Ich habe kein Glück mit Männern, weil *ich selbst* durch mein zurückweisendes Verhalten *jeden* Mann vergraule. Ich tue das, weil ich glaube, daß alle Männer gleich (böse, mies, brutal, schlecht etc.) sind, und werfe damit auch die gutmütigen, zärtlichen in denselben Topf!

Der widersprüchliche Zweck des dargestellten Verhaltens-Symptoms wird damit noch klarer und deutlicher: Es verhindert genau das, wovon Du schon so lange träumst: Geborgenheit, Wärme, Nähe und Zärtlichkeit zu erleben – *mit* einem Partner.

Und wenn *Du selbst* es bist, die der Vision Deines Herzens durch ein bestimmtes (bisher unbewußt gelebtes) Verhalten ständig entgegenwirkt, dann kannst es auch nur *Du selbst* sein, die eine mutige Entscheidung zu treffen bereit ist: „Ich kann mich ändern, wenn ich das wirklich und wahrhaftig möchte." Damit bekundest Du Deine Bereitschaft, ein gewohnt-vertrautes Verhalten in Frage zu stellen, mit dem Du Dir selbst vielleicht schon viele Chancen verwehrt hast, einen Mann kennenzulernen, der sich Dir offen und ehrlich *zu*wenden wollte. Dein Entschluß, Dich selbst ändern zu wollen, ist ein ganz wichtiger Vorbote, ein Lichtblitz, der Deine bisherige Einstellung Männern gegenüber bestimmt positiver werden läßt.

Damit dies gelingt, bitte ich Dich vorerst, einen neuen Gedanken für möglich zu halten:

> Es gibt viele verschiedene männliche Wesen. *Auch* gutherzige, zärtliche, liebevolle!

Wenn es Dir schwerfällt, dies zu glauben, dann finde Du einen besseren Wortlaut dieser Idee für Dich selbst heraus. Es kann zur wunderbar kreativen Beschäftigung werden, neue Gedanken zu formulieren, die das Herz erfreuen. Und je öfters Du Dich darauf besinnst, desto leichter wirst Du es meistern, Deine wenig liebevolle Einstellung Männern gegenüber zu verwandeln. Schreib Deinen neuen Gedanken auf bunte Kärtchen, die Du als unterstützende Hilfe in Deiner Wohnung befestigen oder in Deiner Handtasche aufbewahren kannst. Je mehr Zeit und Beharrlichkeit Du dafür aufbringst, Dein Denken in eine positive Richtung zu lenken, desto leichter wird es Dir gelingen, dem nächsten sich nähernden männlichen Wesen offen gegenüber zu treten. Wenn Du es einmal geschafft hast, der gegebenen Realität „Da will ein Mann mit mir Kontakt aufnehmen" ins Auge zu blicken, und es gleichzeitig für möglich hältst, daß dies sowohl eine belanglose als auch eine bereichernde Begegnung sein kann, solltest Du Dich aufrichtig darüber freuen, bewundern und loben.

Was mag der Grund dafür sein, daß sich ein weibliches Wesen hinter arroganter Unnahbarkeit verschanzen muß, obwohl sich da ein Mann nähert, der bloß eine Auskunft braucht, einen bewundernden Blick los werden möchte oder ein harmloses Gespräch führen will?

Sich auf solche Art und Weise vor jemandem schützen zu müssen kann der verzweifelte Versuch eines innerlich sehr zarten Menschen sein, eine nochmalige (körperliche oder psychische) Verletzung auf jeden Fall verhindern zu wollen: Lieber überhaupt kein Kontakt mit Männern, als noch einmal das Risiko einzugehen, schlecht behandelt zu werden.

Lieber weiblicher Single, ich betone nochmals, daß es mir weder zusteht noch am Herzen liegt, Deine Schutzmechanismen zu kritisieren. Es geht nur darum, ein Verhalten ins Licht zu rücken, mit dem Du Dich zwar vor Bösewichten gut zu schützen weißt, *Dir aber genauso jede Chance verwehrst,* einem weichherzigen, zärtlichen, gutmütigen Mann zu begegnen.

Das Überbetonen Deiner Abgrenzungsstrategien in einem Moment (... da sucht ein Mann Kontakt mit mir ...), in dem Du noch keinen annähernd realistischen Eindruck von Deinem Gegenüber haben kannst, bewirkt nämlich, daß Du *überhaupt kein männliches Wesen* kennenlernst (die Sanftmütigen, Liebevollen mit eingeschlossen ...). Wie könnte dieses Wunder geschehen, wenn *Du* immer wieder signalisierst „Mit mir nicht!" und damit Deine Abneigung gegen alles Männliche so deutlich demonstrierst?

Wenn Du eines Tages kein einsamer Single mehr sein willst, dann mußt Du Dich schon jetzt der Auflösung Deines Stacheldrahtes widmen, indem Du lernst, Dir einen realistischen Eindruck von Deinem jeweiligen männlichen Gegenüber zu verschaffen und den gegebenen Tatsachen entsprechend zu reagieren.

Wenn sich Dir ein männliches Wesen nähert und Du spürst, wie Dein Körper steif wird und die Nase hochgeht, atme ein paarmal tief durch und lockere Schultern und Arme. Vergegenwärtige Dir Deinen neuen Gedanken (... es gibt *auch* Gutmütige, Zärtliche, Liebevolle ...), der sich auf einem Kärtchen in Deiner Handtasche befindet. Hast Du ihn nicht dabei, gibt es noch andere Soforthilfen, die Deine Einstellung im aktuellen Moment „Da kommt ein Mann auf mich zu" positiver werden läßt:

Ich schaffe es, ...

Heute gelingt es mir, ...

Ich wage es, ...

Ich habe den Mut, ...

... diesem Mann meine aufrichtige, volle Aufmerksamkeit für diesen Augenblick zu schenken.

Damit verlagerst Du Deine Konzentration auf das, was *jetzt tatsächlich geschieht,* und es wird Dir immer leichter fallen, Deine Reaktion darauf abzustimmen. Warte ab, was Dein Gegenüber wirklich vorzubringen hat. Höre genau hin, was sein Anliegen an Dich ist, und bleibe, so gut Du es kannst, mit Deinen Gedanken in der aktuellen Situation. Erwidere den Blick des kontaktsuchenden Herrn möglichst offen, und beschränke Dich im wahrscheinlich entstehenden Wortwechsel auf kurze, präzise Sätze in einem freundlichen Tonfall. Dein realistischer Eindruck von der Augenblickssituation wird sich dadurch immer mehr festigen – und die Frage: „Ist das wirklich ein grausamer Bösewicht, den ich da vor mir habe?" kann Dir bestenfalls nur noch ein Schmunzeln entlocken.

Lieber weiblicher Single, nachdem Du dieses Buch gekauft hast, bist Du bestimmt auf der Suche nach neuen Impulsen, die Dein Leben in eine neue Richtung lenken sollen. Der entscheidende Richtungswechsel „vom Single-Dasein zur glücklichen Partnerschaft" kann jedoch nicht ohne Dein Bemühen geschehen, der arroganten Unnahbarkeit endgültig Lebewohl zu sagen.

Die nachfolgende Schreibübung kann Dich dabei unterstützen, Dich von einem Verhaltensmuster zu befreien, das Dir eine Zeitlang sehr wichtig gewesen sein mag, aber heute vielleicht gar nicht mehr zu Dir paßt. Als Anregung gedacht, bitte ich Dich, den Wortlaut der einzelnen Absätze auf Dein Empfinden hin zu überprüfen („Stimmt dieser Satz für mich, so wie er hier steht?") und gegebenenfalls zu ergänzen.

Arroganz in Offenheit verwandeln

Ich bin ein Single, der es nicht länger bleiben möchte.

Mein Wunsch, Geborgenheit, Zärtlichkeit, Wärme und Liebe mit einem Partner zu erleben, hat sich bis heute noch nicht erfüllt. Deshalb will ich herausfinden, was ich selbst dazu beitrage, daß dies so ist.

Ich lasse Bilder vergangener Erlebnisse auftauchen, in denen ein männliches Wesen mit mir Kontakt aufnehmen wollte oder meine Nähe gesucht hat.

Ich versetze mich nochmals, so gut ich es kann, in die damalige(n) Szene(n), sehe mich reagieren und stelle mir folgende Frage: Habe ich in etwa so gedacht, als mir der Kontaktversuch des Herrn auffiel?

„Mit mir nicht!"

„Was bildet der sich ein."

„Schon wieder so ein Kerl."

„Der kann mich doch gern haben."

„So eine Frechheit!"

„Was glaubt der eigentlich von mir?"

„Ich lasse mir nichts anmerken."

„Bei mir gibt es nichts zu holen."

„Da kannst Du warten, bis Du schwarz wirst."

„Nur nicht hinschauen."

„Es ist besser, wenn ich jetzt gehe."

„Komm ja nicht her!"

„Der will sowieso nur das eine."

„Ich hab die Nase voll."

„Der ist um nichts besser als die anderen."

Muß ich einen oder mehrere Gedanken bejahen, dann leide ich vermutlich an einem Verhaltensmuster, das für die Tatsache, daß ich Single bin, mitverantwortlich ist.

Durch meine zurückweisende Einstellung verwehre ich mir selbst jede Chance, einen gutmütigen, einfühlsamen Mann kennenzulernen.

Also muß sich zuerst mein Denken verändern, das auf meine (schlechten) Erfahrungen von früher fixiert ist und aufgrund dessen ich alle Männer in denselben (schlechten) Topf werfe (die sanften, liebevollen mit eingeschlossen).

Ich bin der einzige Mensch, der an mir selbst und meiner negativen Einstellung Männern gegenüber etwas verändern kann.

Durch meine Bereitschaft: „Ich will meine kühle, bisweilen arrogante Fassade aufgeben" leite ich diese Veränderung ein.

Ich will mir selbst gegenüber ehrlich sein und gestehe mir meine Unsicherheit, meinen Widerwillen und meine Ängste ein, die ich hinter einer kühl-arroganten Maske zu verbergen suche.

Ich kann lernen, trotz meiner früheren schlechten Erfahrungen Kontakte zu knüpfen und mir einen *realistischen* Eindruck von meinem *jetzigen* Gegenüber zu verschaffen. Dies ist notwendig, um mein bisheriges (negatives) „Männerbild" anders (besser, positiver) werden zu lassen.

Ich kann mich dafür entscheiden, dem nächsten kontaktsuchenden Herrn meine volle Aufmerksamkeit für die Dauer eines Wortwechsels zu schenken. Je aufrichtiger mir dies gelingt, desto leichter kann ich meine Reaktionen, Fragen und Antworten auf die momentane Situation abstimmen.

So finde ich immer besser heraus, was mein Gegenüber wirklich will. Damit lerne und übe ich, diesen einen Mann vor meinen Augen wahrzunehmen, wie er ist, und gewinne damit ein *realistisches*, neues Bild.

Je mehr verschiedene, neue Eindrücke ich zulasse, desto leichter fällt es mir, die Bilder meiner Vergangenheit loszulassen.

Ich lobe mich für jeden noch so kleinen Schritt, mit dem es mir gelingt, einem männlichen Wesen freundlich, offen und augenblicksbezogen zu begegnen.

Man nehme einen Partner vom Regal ...

Mit dieser Titelzeile will ich auf ein Denkmuster aufmerksam machen, das sich in seiner Demonstration nicht so offensichtlich zeigt, wie das aufgeblasene Ego oder die arrogante Unnahbarkeit. Um so schwieriger mag es für den (die) Betroffene(n) sein, an sich selbst ein Verhalten wahrzunehmen, dessen Sinn und Zweck eher im Konsumieren anstelle von Zuwenden oder Beziehen liegt. Viele Singles wünschen sich sehnlichst eine „Beziehung", sind aber völlig ahnungslos, daß sie zu einer solchen gar nicht bereit sind, weil sie sich darunter etwas sehr Einseitiges vorstellen: „Mein Partner (meine Partnerin) soll (muß) sich vollkommen auf mich einstellen (beziehen), ich aber nicht auf ihn (sie)." Dieser Abschnitt soll Dich dazu ermuntern, Deine derzeitige Zuwendungs- oder Beziehungsfähigkeit etwas genauer unter die Lupe zu nehmen:

> Wenn *Du* Dir eine (aufrichtige, glückliche, ehrliche, innige, gleichberechtigte, dauerhafte – was immer Du willst) Beziehung mit einem Mann (einer Frau) wünschst, diese aber bis heute nicht gefunden hast, *dann muß diese Tatsache etwas mit Dir zu tun haben.*

Bevor aber bestimmte Ereignisse in Deinem Leben als Tatsachen (trotz vieler Versuche findest Du keine glückliche Beziehung, die von längerer Dauer ist) in Erscheinung treten können, müssen diese zuvor (wenn auch unbewußt) „gedacht" worden sein. Ohne vorherige Idee kann nichts Konkretes entstehen. Wenn Du Dir ein eigenes Haus wünschst, mußt Du ja auch *vorher* darüber nachdenken und Ideen entwickeln, wie Du das machen wirst und was Du dazu alles brauchst, damit Dein Haus Realität werden kann.

Die Ursache, daß Du immer noch Single bist, obwohl Du keiner mehr sein möchtest, muß also in Deiner geistigen Einstellung zu finden sein, deren Manifestation (Verwirklichung) Du als frustrierende Tatsache schon so oft erlebt hast: Die letzte Beziehung hat wieder nicht gehalten.

Als ich selbst ein Single war, habe ich mich oft mit Gleichgesinnten über Beziehungen unterhalten. Eine wiederholt geäußerte
Frage im Sinne eines gut gemeinten Ratschlags ist mir bis heute in
unangenehmer Erinnerung geblieben: „Warum nimmst Du Dir
keine(n) andere(n)?"

Lieber Single, wenn Du der Überzeugung bist, daß Du Dir einen
anderen Menschen einfach „nehmen" kannst wie einen Artikel vom
Kaufhausregal, dann degradierst Du ihn (wenn auch unbewußt) zu
einem leblosen Ding. Man nimmt es, prüft es auf seine Zweckmäßigkeit, verwendet es und ersetzt es durch ein neues Ding, wenn das
alte nichts mehr taugt. Auch wenn Dir diese Beschreibung hart oder
übertrieben erscheint, so trifft sie dennoch den gedanklichen Kern
vieler Singles, die auf Partnersuche sind: „Wenn es mit diesem nicht
funktioniert (so wie ich es will), nehme ich mir halt einen anderen."
Und nachdem es so viele einsame, wartende, hoffende Singles gibt,
scheint dies überhaupt nicht schwierig zu sein. Kaum ist die alte
„Beziehung" beendet, begibt sich der „Konsumenten- oder Nehmer-
typ" sogleich auf die Suche nach einer „besser *zu ihm* passenden"
Ergänzung. Gezielten Blicks wird das nächste menschliche Objekt
anvisiert und kurz überprüft: „Könnte er (sie) meinen Ansprüchen
gerecht werden und mir meine Bedürfnisse erfüllen?" Ergibt sich
aus diesem kurzen Check ein wahrscheinliches „Ja", steht der *schein-
baren* Annäherung nichts mehr im Wege. Scheinbar deshalb, weil
sich das Interesse auf eine Art Begutachtung beschränkt, wo Plus-
punkte verteilt und Minuspunkte abgezogen werden – je nachdem,
ob das Gegenüber die eigenen Ansprüche, Erwartungen, Bedürfnisse
erfüllt oder nicht.

Lieber Single, es liegt nicht in meinem Sinn, Deine ureigensten
Richtlinien zu kritisieren, die Du anwendest, wenn Du Dich auf
Partnersuche begibst. Ich will damit nur die Folgen eines Verhaltens aufzeigen, *mit dem Du Dir selbst jede Brücke zum Herzen Deines Gegenübers verwehrst,* sollte das „Partner-vom-Regal-Nehmen"
in Deinem Leben eine Rolle spielen. Wenn Du aber ein Single bist,
der es nicht länger bleiben möchte, dann mußt Du Dein bisheriges
Verhalten wie auch Dein Denken überprüfen und in Frage stellen:
„Worauf kommt es mir in einer Beziehung am meisten an? Was ist
mir am Wichtigsten?"

Wenn es Dir genügt, daß Deine Ansprüche, Wünsche und Bedürfnisse eine Zeitlang erfüllt werden, und Du damit zufrieden bist, von den vielen anderen Wesenszügen Deines Partners (Deiner Partnerin) nur wenig oder gar nichts zu erfahren, so ist daran nichts Böses – solange beide damit glücklich sind. Wenn Du jedoch mehr willst, zum Beispiel neue Eigenschaften entwickeln oder zum Herzen Deines (Deiner) Liebsten finden, dann darfst Du ihn (sie) nicht einfach austauschen, wenn *Deine* Lust gestillt ist oder die ersten Probleme auftauchen.

Eine wirkliche Beziehung zweier Menschen zueinander kann erst dann entstehen, wenn Du gewillt bist, *auch* die weniger schönen Seiten Deines Gefährten anzunehmen, die allesamt nur verzauberte Ausdrucksformen eines Mangels an Liebe sind, genau wie die Deinen.

Ein großes Manko an Zuwendung und Liebe kann dem Verhalten des „Nehmer-Typs" zugrunde liegen. Ein riesiger Topf ungestillter Wünsche und Bedürfnisse pocht unterbrochen auf sein Recht, endlich wahrgenommen und gefüllt zu werden. Die Tatsache, *daß* Du Erfüllung suchst, ist auch nicht das Problem. Ein solches kann aber daraus entstehen, wenn Du glaubst, *durch einen ständigen Partnerwechsel* die ersehnte Erfüllung zu finden. Wenn Du Dich immer wieder eines menschlichen Wesens bedienst, um auf Deine Kosten zu kommen, mag dies von Deinen Bedürfnissen her gesehen verständlich sein. Was Dir damit aber entgeht, ist das Abenteuer, genau diesen Mann (diese bestimmte Frau) mit all seinen Vorzügen, guten Eigenschaften, Begabungen, aber auch mit seinen Schwächen und Fehlern wirklich kennenzulernen und herauszufinden, wie Du ihm (ihr) täglich ein bißchen näherkommen kannst. Es kommt also darauf an, was *Dir* wichtig ist in einer Beziehung: Willst Du in erster Linie Deine Bedürfnisse befriedigt bekommen oder wünschst Du Dir eine Beziehung zweier gleichberechtigter Menschen, die Dich immer wieder überraschen wird, weil da *zwei* verschiedene Wesen mit *zwei* verschiedenen Meinungen, unterschiedlichen Bedürfnissen und einer völlig anderen Vergangenheit zusammenkommen?

Es kann also sein, daß Deine bisherigen Beziehungen durch eine Art Konsumdenken beeinflußt worden sind, obwohl Dir das in keiner

Weise bewußt war. Wenn Du Dir Klarheit darüber wünschst, welches Denkmuster Deine enttäuschenden Erlebnisse sozusagen „anzieht", dann beschäftige Dich noch einmal mit Deiner letzten Beziehung. Versetze Dich, so gut Du kannst, gedanklich und gefühlsmäßig in die damalige Situation und stelle Dir folgende Frage: „Wann genau habe ich mein Interesse an diesem Mann (dieser Frau) verloren?" Versuche, die Szene nachzuempfinden, in der Du Dich mit Deinem Partner (Deiner Partnerin) befunden hast. Worum ging es? Worüber habt Ihr gesprochen? Was genau hat Dein Gegenüber gesagt oder getan, daß sich *Dein* Interesse und *Deine* Zuneigung plötzlich in Nichts aufgelöst haben und *Dein* Entschluß feststand, sich eine(n) andere(n) zu nehmen.

Kann es sein, daß Dich Dein damaliger Partner (Deine Partnerin) durch eine Bemerkung, Geste oder eine Aktion an *Deine* Sehnsucht nach Zuwendung erinnert hat? Und weil *Dein* Bedürfnis in diesem Moment nicht gestillt wurde, hast Du ein vernichtendes Urteil über ihn (sie) als Ganzes gefällt? Kann es sein, daß seit damals Deine Beziehungen an eine ganz bestimmte Bedingung gebunden sind? Verlierst Du blitzartig Dein Interesse, wenn diese eine Bedingung nicht sofort erfüllt wird?

Welche Idee mag einem Denkschema zugrunde liegen, das Nehmen und Konsumieren an die erste Stelle setzt und dies als „Beziehung" deutet? Lieber Single, es steht mir nicht zu, eine Analyse darüber zu formulieren, denn ich bin kein ausgebildeter Psychologe. Doch an vielen Singles beobachtet und selbst erfahren habe ich eine „Wenn/Dann"-Denkstruktur, die das „Nehmen", „Konsumieren" und „Austauschen" von Partnern (!) geradezu forciert. Das Prüfen, ob sich ein spezielles Produkt für einen bestimmten Zweck gut eignet, gehört zum Einkaufsbummel, aber nicht in den Bereich zwischenmenschlicher Beziehungen. Wenn Du einen Herrn oder eine Dame nach Tauglichkeit oder Zweckmäßigkeit beurteilst, kann es tatsächlich leicht passieren, daß Deine anfängliche Zuneigung blitzartig verschwindet: „*Wenn* Du mir dieses oder jenes nicht erfüllst, *dann* bist Du für mich unbrauchbar, und ich *nehme* mir halt eine(n) andere(n)." Wenn Du so denkst, kann es gar nicht anders sein, daß Du an Deinem Gegenüber nur das schätzt und genießt, was in Dein eigenes Konzept paßt. Daher ist es Dir auch nicht möglich, das Du in seiner Einzigartigkeit wahrzunehmen oder die Vielfalt an Möglichkeiten auszuschöpfen, die in jeder Begegnung zweier menschlicher Wesen liegt. Es sind also allein *Deine* Gedanken, die darüber entscheiden, *was Du erlebst*.

Bitte glaube nicht länger, daß Dein Bedürfnis nach _____ _____ (setze bitte Dein momentan größtes Bedürfnis ein) auf Dauer gestillt werden kann, wenn Du dieses *zur Bedingung* in Deinen Beziehungen machst, die entweder dadurch „leben" (Du bekommst, was Du willst) oder „sterben" (Dein Partner erfüllt die Bedingung nicht).

Du gehst die nächste Beziehung ein – in der Hoffnung, daß diese Deine Bedingung erfüllen wird. Doch sie scheitert wieder, weil dies nicht so ist. Und während Du beharrlich suchst, was Du in Deiner Vergangenheit (Kindheit oder Partnerschaft) so schmerzlich vermißt hast, übersiehst Du wahrscheinlich die vielen anderen Zeichen von Zuneigung, die Dir immer wieder entgegengebracht werden.

Lieber Single, wenn Du lernen möchtest, wie Du Dich besser auf einen Mann oder eine Frau beziehen kannst, weil Du Dich dazu entschlossen hast, kein menschliches Wesen mehr „vom Regal zu nehmen", um dessen Vorzüge zu konsumieren, mußt Du zuerst etwas aufgeben:

<u>Den Glauben, daß Dir ein anderer Mensch *geben* kann, was Du in Deiner Vergangenheit entbehren mußtest.</u>

Denn mit jedem: „Wenn Du mir das nicht erfüllst, dann ..." wirfst Du Deinem Partner (Deiner Partnerin) etwas vor, das in *Deine* Vergangenheit gehört, die mit Deiner gegenwärtigen Beziehung nichts zu tun hat (siehe Kapitel 3, Seiten 108-123). Der Anspruch: „Gib mir gefälligst, was ich so dringend brauche" kann die nie gehörte Bitte eines kleinen Kindes sein, im Jargon eines „Erwachsenen" formuliert, der nur äußerlich älter geworden ist.

Lieber Single, es gilt also die Strategie zu verändern, wie Du zu dem kommen kannst, was Du Dir von Herzen wünschst: *Eine lebendige, gleichberechtigte, dauerhafte Beziehung **mit** einem Partner.*

Die folgende Schreibübung soll eine Anregung für Dich sein, neue Gedanken zu entwickeln. Bitte verändere, wenn nötig, die Wortfolge nach Deinem Empfinden.

Beziehungsfähigkeit entwickeln

Ich bin ein Single, der es nicht länger bleiben möchte.

Daher bin ich bereit zu erforschen, was ich selbst dazu beitrage, daß ich Single bin.

Ich blicke zurück auf vergangene Beziehungen und beantworte mir die folgenden Fragen so ehrlich, wie ich kann:

1. Ist das Aufrechterhalten meiner Beziehungen an eine ganz bestimmte Bedingung gebunden, die mein Partner erfüllen muß?

2. Beende ich meine Beziehung sofort, wenn sich mein Partner (meine Partnerin) nicht an diese Bedingung hält?

3. Nehme ich mir sehr rasch einen neuen Partner?

Muß ich eine oder alle Fragen mit „Ja" beantworten, dann leide ich vermutlich an einem Denkmuster, das auf Konsumieren ausgerichtet ist.

Ich bin der einzige Mensch, der die Macht hat, mein Denken zu verändern.

Damit dies gelingt, muß ich mir zuerst Klarheit darüber verschaffen, was ich wirklich will:

a. Will ich nur meine Bedürfnisse befriedigt wissen oder

b. will ich mit einem anderen Menschen eine Beziehung eingehen?

weiter mit b:

Ich will lernen, wie ich mich besser als bisher auf einen Mann (eine Frau) beziehen kann.

Daher gebe ich meine Erwartung auf, daß mir irgendein anderer Mensch zurückgibt, was ich in meiner Vergangenheit entbehrt habe.

Ich bin bereit, meine nächste Beziehung nicht mehr vom Blickwinkel einer bestimmten Bedingung aus zu beurteilen, und nehme freudig und dankbar alle Zeichen von Zuwendung an, die mir entgegengebracht werden.

Ich bin ebenso bereit, über die Unzulänglichkeiten meines Partners (meiner Partnerin) liebevoll hinwegzusehen, da ich selbst auch nicht frei von Schwächen bin.

Gleichzeitig lasse ich all meine Wünsche und Träume in mir leben und gestehe mir mein großes Bedürfnis nach _____
_____ ein.

Wenn ich will, kann ich meinem Partner (meiner Partnerin) mein größtes Bedürfnis anvertrauen.

Ich freue mich über jeden neuen Wesenszug, den mir mein Partner (meine Partnerin) zeigt, und nehme dankbar an, was ich durch ihn (sie) lernen darf.

Maskenspiel

Mit diesem Abschnitt will ich ein Verhaltensmuster beschreiben, dessen Folgen unzählige Mißverständnisse sind, wenn sich zwei Singles kennenlernen. Der vom Maskenspiel Betroffene versteckt nämlich charakteristische Merkmale seines eigenen Wesens hinter einer Maskierung, die oft das exakte Gegenteil jener Eigenschaft darstellt, die damit verborgen werden soll.

Da sich aber ein anderer Mensch vorerst auf das beziehen muß, was er hört und sieht, läßt dies nur eine Schlußfolgerung zu: Aus dem (unbewußten) Maskenspiel vieler Singles muß ein heilloses Durcheinander entstehen, wenn die ersten Kontakte geknüpft werden.

Dieses Kapitel soll Dir die nötigen Impulse geben, diese Mißverständnisse durchschauen zu lernen und möglichst aus der Welt zu schaffen, da sie der Erfüllung Deines Wunsches, *einem Partner (einer Partnerin) zu begegnen, der (die) Dich so mag, wie Du wirklich bist,* ununterbrochen entgegenwirken.

Lieber Single, wenn es so ist, daß Du zum Kontakte-Knüpfen eine bestimmte „Kostümierung" verwendest, die einen ganz bestimmten Wesenszug von Dir verbergen soll, dann darfst Du Dich nicht wundern, wenn Du den Menschen, der wirklich gut zu Dir paßt, noch immer nicht getroffen hast.

Schon der Volksmund drückt aus, daß menschliche Wesen Eigenschaften zu haben scheinen, die mit Hilfe eines völlig konträren Verhaltens vertuscht werden sollen:

Hinter einer rauhen Schale verbirgt sich ein weicher Kern ...
Bellende Hunde beißen nicht ...

Das Verbergen eines weichen Kerns, den Du zum Beispiel hast, mag eine Zeitlang gelingen, doch auf Dauer gesehen kann es sehr anstrengend werden, eine rauhe Schale zu demonstrieren, wenn Du im Innersten weich und verletzlich bist. Und wenn Du glaubst, daß Du Deine Friedfertigkeit verstecken mußt, indem Du laut bellst, wird es um so verständlicher, welch falsches Bild Du da Deinem Gegenüber, zu dem Du Dich hingezogen fühlst, präsentierst: *Obwohl Du innerlich weich und friedfertig bist, trittst Du im Kostüm des knallharten Kerls auf, der sich zu wehren weiß ...*

Der ahnungslose Mensch, den Du soeben kennengelernt hast, *ist* aber in diesem Moment *tatsächlich nur mit Deiner Verkleidung konfrontiert!*.

Wie könnte es also geschehen, daß *Du* einem menschlichen Wesen näherkommst, das ebenso friedfertig ist, wie Du selbst, *wenn Du ein so gegensätzliches Bild von Dir zeigst?* Denn ein sanfter, liebevoller Single (der sich genauso nach Zuwendung sehnt wie Du) wird wohl kaum Deine Nähe suchen, wenn Du lautstark um Dich schlägst ...

Was mag einen Single dazu veranlassen, besonders dann eine Maske zu tragen, wenn er auf Partnersuche ist? Da gibt es zum Beispiel den schüchternen jungen Mann, verkleidet als „Witze-Erzähler", die abenteuerlustige Dame im Kostüm der „Selbstlosen Samariterin", den häuslichen Herrn in der Maske des „Brillanten Partylöwen" und die willensstarke Frau, die sich als „Mauerblümchen" präsentiert ...

Eine bestimmte Verhaltensrolle zu benutzen, die so gar nicht dem eigenen Wesen entspricht, erinnert ein bißchen an den verzweifelten Versuch eines kleinen Kindes, durch ein besonders auffälliges Benehmen in den Mittelpunkt des Interesses seiner Eltern zu rücken. Ein großer Mangel an Aufmerksamkeit, Zuwendung und Liebe kann dafür verantwortlich sein, daß sich bereits im frühen Kindesalter ein Denkmuster festsetzt, dem Du möglicherweise bis heute immer noch folgst:

„Wenn ich mich *so* (Maske!) verhalte, dann schaut mein Vater endlich her, nimmt mich meine Mutter endlich in den Arm und so weiter.

Lieber Single, es kann sein, daß Du als Erwachsener immer noch auf dieselbe Art und Weise um Aufmerksamkeit, Zuwendung und Liebe ringst wie das kleine Kind, das Du einmal warst. Wenn Du also immer wieder den „verkehrten" Partner erwischst und herausfinden willst, warum dies so ist, bitte ich Dich, Deine eigenen Maskierungen etwas genauer zu studieren. Der Einfachheit halber bleibe ich bei den vorher genannten Beispielen:

Wenn Du von Natur aus introvertiert bist, dann gehört die Schüchternheit zu Deinem Wesen. Du kannst diese nicht einfach aus der Welt schaffen, indem Du laut Witze erzählst. Vielleicht hat Dir Dein Vater immer dann seine Anerkennung entzogen, wenn Du Dich zurückziehen oder allein beschäftigen wolltest. Und weil Du Deinen Vater so lieb(te)st, hast Du Dir etwas ausgedacht. Du besorgtest Dir ein Witzbuch, das Du eifrig studiertest, um Deinem Vater zu gefallen und den Rest der Familie gleich mit zu unterhalten, *obwohl Du Dich viel lieber* allein in Dein Zimmer zurückgezogen hättest, um eine Schallplatte zu hören.

Wenn Du das Verlangen hast, etwas Neues, Aufregendes, Interessantes zu erleben, dann gehört die Abenteuerlust zu Deinem Wesen. Du kannst diese nicht aus der Welt schaffen, indem Du für andere rund um die Uhr verfügbar bist. Vielleicht hat Deine Mutter immer dann geschimpft, wenn Du hinauslaufen und auf Entdeckungsreise gehen wolltest. Und weil Du Deine Mutter so lieb(te)st, hast Du Dir etwas ausgedacht. Du bist zu Hause geblieben und hast immer mehr Pflichten übernommen. Um Deiner Mutter zu gefallen, warst Du rund um die Uhr für sie da und für den Rest der Familie, *obwohl Du viel lieber* draußen gespielt hättest!

Wenn Du ein schönes Heim liebst und Freude an der Hausarbeit hast, dann gehört die Häuslichkeit zu Deinem Wesen. Du kannst diese nicht aus der Welt schaffen, indem Du von einer Party zu anderen jagst. Vielleicht hattest Du eine Partnerin, die Dich als einfallslosen Langweiler bezeichnet hat. Und weil Du Deine Partnerin so liebtest, hast Du Dir etwas ausgedacht. Du besuchtest einen Tanzkurs, einen Englischkurs, einen Kurs für lockere Konversation und verändertest Dein äußeres Ambiente nach dem letzten Modeschrei, um Deiner Partnerin zu gefallen, *obwohl Du viel lieber* in Deinen alten Jeans ein neues Rezept ausprobiert hättest!

Wenn es Dir leichtfällt, Entscheidungen zu treffen und ein Ziel zu erreichen, dann gehört die Willensstärke zu Deinem Wesen. Du kannst diese nicht aus der Welt schaffen, indem Du wie ein kleines Mädchen in der Ecke stehst. Vielleicht hattest Du einen Partner, der Deine Meinung niemals gelten ließ. Und weil Du Deinen Partner so liebtest, hast Du Dir etwas ausgedacht. Du hast Dein Ziel vergessen und nur noch die Entscheidungen Deines Gefährten akzeptiert, um ihm zu gefallen, *obwohl Du viel lieber* eine eigene Firma gegründet hättest!

Lieber Single, was sich anhand dieser Beispiele leicht erkennen läßt, sind drei Tatsachen, die ich Dich bitte zu beachten, wenn Du Dich Deiner Selbstanalyse widmest:

1. Um einem anderen Menschen zu gefallen, verkehrst Du (möglicherweise) charakteristische, eigene Wesensmerkmale ins Gegenteil.

2. Obwohl diese Bemühungen wirklich stattfinden, wurden sie bis heute nicht belohnt, denn *Du bist immer noch Single* – trotz aller Anstrengungen, ein bestimmtes Image zu wahren, wenn Du auf der Suche nach neuen Kontakten bist. Und selbst bei gelungenen Annäherungsversuchen stellt sich nach kurzer Zeit heraus, daß es wieder der „Verkehrte" war, der so gar nicht recht zu Dir paßt ...

3. Es ist unmöglich, Teile Deines Wesens aus der Welt zu schaffen, die wirklich zu Dir gehören.

Wenn Du also den Partner (die Partnerin) treffen willst, der (die) *Deinem wahren Wesen* entspricht, dann mußt Du *Deine Willenskraft und viel Mut mobilisieren,* um einerseits Dein wahres Wesen immer besser herauszufinden und andererseits zu lernen, *Deine Einzigartigkeit* vor anderen sicher zu vertreten. Die folgende Geschichte, mit der ich nochmals auf die fruchtlose Widersprüchlichkeit des Maskenspiels hinweise, soll Dich dazu ermuntern, *Deine* Maske nicht mehr zu benutzen, wenn Du einem interessanten Herrn begegnest oder plötzlich der Dame Deines Herzens gegenüberstehst:

Da ist ein großer Ballsaal, in dem sich viele verkleidete Singles tummeln, die trotz ihrer äußerlichen Verschiedenheit allesamt etwas Gemeinsames haben. Unter den vielen Schichten aufwendiger Kostüme verbirgt sich nämlich in jedem einzelnen dasselbe Geheimnis: Eine einsame Seele, die sich nach Liebe sehnt. In diesem bunten Durcheinander ist es gar nicht so leicht herauszufinden, daß dies keine übliche Faschingsveranstaltung ist, sondern eine ganz merkwürdige Angelegenheit. Die Anwesenden haben sich so sehr mit ihrer Maske identifiziert, daß sie die gemeinsame Sehnsucht aller völlig vergessen haben. Mit viel Anstrengung, perfekt in Wort und Gehabe, werden die Rollen gespielt und durchgestanden. Um so verwunderlicher ist die Tatsache, daß trotz Überfüllung des Saales kein einziger ein Single zu sein scheint, der zu einem anderen paßt! Da gibt es „Arbeitsknochen", „Putzteufel", „Frauenhelden", „Heulsusen", „Jäger", „Trauerweiden", „Stumme Beobachter", „Mauerblümchen", „Sexprotze", „Vamps", „Mamis Lieblinge", „Rachegöttinnen" und noch viele andere bemerkenswerte Kostümierungen. Dennoch schafft es der Stumme Beobachter nicht, eine Frau kennenzulernen, die ebenso kontaktfreudig (!) ist wie er. Auch die Trauerweide bemüht sich schon seit Stunden, ihrem Image gerecht zu werden in der Hoffnung, den Mann heranzulocken, nach dem sie sich immer schon gesehnt hat. Gesenkten Blicks nimmt sie ab und zu einen Schluck Mineralwasser zu sich, während ihre Gedanken nur um das Elend in der Welt kreisen. Dabei würde sie so gern ausgelassen sein oder irgend etwas Lustiges anstellen mit einem Partner, der genauso viel Sinn für Humor hat wie sie! „Warum gerate ich bloß immer an die verkehrten Männer, die so ernst und humorlos sind", denkt die Trauerweide mit Tränen in den Augen, bevor sie enttäuscht nach Hause geht. Dem Frauenhelden geht es auch nicht besser, nur ist er viel mehr im Streß. Sein Denkinstrument läuft auf Hochtouren, weil er so viele neue Kosenamen erfinden muß. Gleichzeitig muß er seinen schmachtenden Blick überwachen, den Rendezvous-Terminkalender im Gedächtnis behalten, das Eau de Toilette erneuern, das Budget kontrollieren und Lippenstiftreste von seinem Ohrläppchen entfernen. Dabei würde er so gern eine Familie gründen mit einer Partnerin, die sich an einen Menschen binden möchte, genauso wie er! „Warum lerne ich immer Frauen

kennen, die nur flirten wollen und mit einer unverbindlichen Affäre
zufrieden sind?" grübelt der Frauenheld, bevor er sich erschöpft
auf den Heimweg macht ...

Lieber Single, es ist bestimmt nicht immer so, daß Du maskiert
unterwegs bist, und deshalb will ich dieses Kapitel mit einer Bitte
abschließen. Wenn Du das nächste Mal eine Dame oder einen Herrn
vor Dir hast, der in seinem eigenen (unbewußten) Maskenspiel gefangen ist, lauf nicht gleich davon. Vielleicht gelingt es Dir, etwas
länger auszuharren und der weiteren Entwicklung Deiner Beziehung
positiv entgegenzusehen, weil Du ja nun weißt, daß Dein Gegenüber höchstwahrscheinlich in einem Kostüm steckt ... Bitte glaube
nicht, daß außer dieser Verkleidung nichts anderes vorhanden ist.
Es ist dieselbe Sehnsucht nach Zuwendung und Liebe, die zwei
Menschen zusammenführt, und derselbe Wunsch, der in beiden
schlummert: Das mühevolle Rollenspiel endlich aufgeben zu können
und so zu sein, wie er/sie wirklich ist. Der Mann Deiner Träume
oder die Dame Deines Herzens werden ihre Masken aber nur dann
lüften, wenn Du liebevoll und geduldig an deren Seite bleibst. Ich
glaube, daß jeder Single, der es aus tiefstem Herzen nicht länger
sein möchte, einen solchen Versuch verdient hat.

Die nachfolgende Übung soll eine Anregung für Dich sein, noch
mehr neue Ideen zu finden, wie Du Dein wahres Wesen immer deutlicher erspüren und vor anderen vertreten lernen kannst. Der Text
kann auf Band gesprochen und abgehört, doch ebenso geschrieben
werden.

Die eigene Einzigartigkeit entdecken

Ich bin auf der Suche nach meinem wahren Wesen und habe
mich entschlossen herauszufinden, was mich einzigartig macht.

Ich denke zurück an meine Kindheit und erinnere mich ganz
deutlich (bitte notieren),

mit welcher Beschäftigung ich am glücklichsten war,
wo ich am liebsten gespielt habe,

mit anderen oder allein,
welche Rolle ich in der Gruppe hatte,
wie und wo ich mich am wohlsten gefühlt habe,
was mir besonders leicht fiel,
welche Begabung ich hatte,
was ich immer erreicht habe, wenn ich es wollte,
wie ich einmal aussehen wollte,
was ich werden wollte,
was mein größter Wunsch war,
mein zweitgrößter,
wovon ich geträumt habe,
worum ich den lieben Gott gebeten habe.

Dieses Kind, das ich einmal war, ist einzigartig, und es lebt noch immer in mir.

Es ist meine Aufgabe, dieses Kind glücklich zu machen und ihm alles zu geben, was es braucht, damit es wachsen und reifen kann.

Ich nehme mir täglich Zeit, auf das Kind in mir zu horchen, und nehme seine Träume, Sehnsüchte und Wünsche liebevoll an, da sie Teile meines wahren Wesens sind.

Ich setze all meine Fähigkeiten und Begabungen (dieselben, die ich schon immer hatte) ein, diesem Kind zu seinem Recht zu verhelfen. *Dies geschieht immer dann,* wenn *ich dafür sorge,* daß ich *glücklich* bin und tue, was mich *glücklich* macht.

Es kann sein, daß sich *meine* Vorstellung von Glück, (die ich schon als Kind hatte), von der eines anderen Menschen unterscheidet.

Dann bin ich bereit, diese Tatsache als gegeben anzunehmen, weil jeder andere in seiner Einzigartigkeit dasselbe Recht auf Glück hat, wie ich selbst.

So, wie ich bin, gibt es mich nur einmal. Und dafür bin ich dankbar.

Die verflixte Sieben

Zwei Singles im Gespräch: „Sag, was war eigentlich schuld an Deiner Trennung?" „Ach Du weißt schon, es war das verflixte siebente Jahr ..." Beide sind zufrieden, und jeder geht seiner Wege.

Lieber Single, mein Anliegen ist, Dir in diesem Abschnitt näherzubringen, was sich hinter diesem belanglosen Zwiegespräch wahrhaftig verbirgt.

Wenn die verflixte Sieben Dein Denken beeinflußt, kann es sein, daß Du in allem und jedem einen „Schuldigen" siehst, der Dich in eine unangenehme Situation bringt, die Dir unlösbar erscheint. Genauso ist es möglich, daß Du Dich selbst mit Schuldgefühlen quälst, weil Du mit dieser bestimmten Situation nicht richtig (?) umzugehen weißt.

> So wird unsere Titelzeile zum Symbol dafür, daß irgend jemand oder irgend etwas außerhalb von Dir dafür verantwortlich sein soll, daß *Du* in Schwierigkeiten steckst.

Und obwohl Du wirklich viel darüber nachgrübelst, Dich darüber ärgerst, gekränkt, traurig oder wütend bist und obwohl Du Dich so sehr bemühst, Deinen Partner (Deine Partnerin) zu ändern, der (die) Dich so ärgert, kränkt, beansprucht oder bevormundet, fallen Dir die richtigen Fragen, die Du Dir stellen könntest, nicht ein: „Was trage *ich* dazu bei, daß ich in einer solchen Situation bin, und was kann *ich* tun, damit *ich* mich wohl(er) fühle?"

Lieber Single, es kann sein, daß Du diese Fragestellungen als äußerst unangenehm empfindest, und daher will ich sie noch einmal anders formulieren: „Bin ich bereit, Verantwortung zu übernehmen für alles, was in meinem Leben geschieht?"

„Die verflixte Sieben" steht als geflügeltes Wort für ein Denkschema, das den Leidensweg vieler Singles bestimmt: In einer Art Vogel-Strauß-Politik „Kopf in den Sand, ich will nichts hören und sehen" erleidet der (die) Betroffene eine Frustration nach der anderen, begleitet von einem Gefühl des ohnmächtigen Ausgeliefertseins an ein böses, schwieriges oder trauriges Schicksal. Unter

Bergen von Schuldgefühlen schwelen im Innersten Resignation und Verbitterung, während im Außen die verzweifelte Suche nach dem Schuldigen fortgesetzt wird, der den eigenen mißlichen Zustand verursacht haben soll:

(der falsche) Partner,
(die undankbaren) Kinder,
(die lieblosen) Eltern,
(der cholerische) Vorgesetzte,
(die unmöglichen) Nachbarn,
(die aggressiven) Autofahrer,
(die arbeitsscheuen) Jugendlichen ...

Doch ebenso wird die Ursache in den gegebenen Umständen vermutet:

im (falschen) Wohnort,
im (ungemütlichen) Zuhause,
im (zu geringen) Einkommen,
in der (unbeständigen) Wetterlage,
in den (zu hohen) Steuern,
in der (verpesteten) Luft,
in der (schlechten) Politik ...

Viele Singles meinen, es liege an ihrem Aussehen, daß keine Beziehung von Dauer ist:

Ich bin zu groß, klein, dick, dünn, alt ...
Ich habe zu wenig Haare, starke Brillengläser, dicke Schenkel, dünne Waden, wenig Busen, viel Speck ...

Lieber Single, wie in allen anderen vorher, soll auch dieser Abschnitt keine Kritik daran sein, wie Du die Menschen in Deiner Umgebung, ihre Lebensumstände und ihr Äußeres einschätzt. Ich bitte Dich nur um Deine Bereitschaft, Deinen guten Willen und um Deine Aufmerksamkeit, ein Denkmuster in Frage zu stellen, das Dich in Deinem Single-Zustand möglicherweise gefangen (!) hält, obwohl Du ja ein Single bist, der es *nicht* länger bleiben möchte.

Wenn ein Dreijähriger auf den garstigen Tisch (= äußerer Umstand) böse ist, an dem er sich gestoßen hat, würdest Du bestimmt bloß lächeln, weil dies die natürliche Reaktion eines kleinen Kindes ist. Wenn aber ein 30jähriger das verflixte siebente Beziehungsjahr (= äußerer Umstand) dafür verantwortlich macht, daß er unglücklich ist, so leiden muß, vom bösen Schicksal getroffen wird, nichts tun kann, dann sollte Dich dies ein wenig nachdenklich stimmen und Dich gleichzeitig anspornen, diese „verflixte Sieben" in Deinem Denken durchschauen zu lernen.

Wenn Du ein Betroffener (eine Betroffene) bist, kann es sein, daß das Suchen von „schuldigen anderen" und „schuldigen Umständen" zur einzigen Beschäftigung wird, die zwar viel Aufregung und Abwechslung in Deinen Lebensrhythmus bringt, aber auch Deine kostbare Freizeit ziemlich in Anspruch nimmt. Doch sämtliche Bemühungen werden nicht den Erfolg bringen, den Du Dir wahrhaftig wünschst:

Endlich darauf zu kommen, *warum ausgerechnet Dir* immer so etwas passiert. Dies kannst Du nur dann herausfinden, *wenn Du Dich dazu entschließt, Deinen Blick um hundertachtzig Grad zu wenden.*

Wenn Du also bereit bist, dem wirklichen „Verursacher" von Problemen in Deinem Leben liebevoll ins Auge zu blicken, genügt es, einen Spiegel zur Hand zu nehmen: *Du* hast Dir deshalb Probleme geschaffen, weil Du mit verschiedenen Aspekten der Wirklichkeit (noch) nicht (gut) umgehen kannst:

... daß Du immer an die falschen Partner(innen) gerätst,
... daß Du aggressiven Autofahrern begegnest,
... daß Du boshafte Nachbarn hast,
... daß Du Dich in Deiner Wohnung nicht wohl fühlst,
... daß Du depressiv wirst, wenn es regnet,
... daß Du Dich über die Politik ärgerst,
... daß Du ein kleines Bäuchlein hast oder
... daß Du dicke Brillengläser tragen mußt ...

Die anderen, die Umstände und Dein Aussehen sind also nicht deswegen so schwierig oder unmöglich, damit *Du* einen symbolischen Sündenbock zur Hand hast (der oder das ist schuld ...) und den Kopf in den Sand steckst (also muß ich weiterleiden, denn ich kann nichts tun ...), *sondern um **Dir** zu dienen.*

Vielleicht hältst Du dies für eine gewagte Behauptung, deshalb will ich sie um so mehr zu beweisen versuchen. *Du* wünschst Dir von ganzem Herzen ein stimmiges, zufriedenes, glückliches Leben mit einem Partner (einer Partnerin), mit dem (der) Du gut harmonierst. Diese Tatsache kann aber nur dann als Ereignis in Deinem Leben stattfinden, wenn *Du* reif dafür geworden bist. Das bist Du dann, wenn Du mit Dir selbst, mit den Menschen in Deiner unmittelbaren Umgebung und mit den gegebenen Lebensumständen selbstsicher und liebevoll umgehen kannst. Jede Entscheidung, die Du aus der Mitte Deines Wohlgefühls heraus triffst, wird Dich dieser Harmonie ein Stückchen näher bringen.

Dein „falscher" Partner ist also nicht deswegen „der Falsche", weil Du irgendeine Schuld abzutragen hast und Du deshalb (nur) leiden mußt.

Er ist auch nicht da, weil Du *ihn* ändern sollst (was ohnehin nicht möglich ist), sondern nur, damit *Du* immer besser herausfindest, was für *Dich* gut ist und was *Dich* von Herzen glücklich macht.

Dein „falscher" Partner, auf den Du oft so böse bist (aber Du handelst nicht), über den Du Dich ärgerst (aber Du handelst nicht), der Dich kränkt (aber Du tust nichts), über den Du Dich aufregst (aber Du tust nichts), ist in Wahrheit *Deine Chance,* da Du durch ihn lernen darfst, *was Du tun sollst, damit Du Dich (wieder) wohl fühlst.*

Dein „falscher" Wohnort ist nicht deswegen „falsch", nur damit Du darunter leidest.

Er ist auch nicht da, weil Du dem Verkehrslärm oder den boshaften Nachbarn die Schuld dafür geben sollst, daß Du dort nicht gern bist, sondern nur, damit *Du* herausfindest, was *Du tun* kannst, damit *Du* (wieder) zufrieden und glücklich bist.

Dein „zu rundes Bäuchlein" ist nicht deswegen da, damit Du nur darüber jammerst und Dich minderwertig fühlst. Es ist auch nicht da, weil Du darin einen Grund für Deine Partnerlosigkeit sehen sollst, sondern nur, damit *Du* herausfindest, was *Du tun* kannst, damit *Du* Dich (wieder) rundherum wohl fühlst.

Lieber Single, wenn Du das Denkmuster der verflixten Sieben, das ich noch einmal überdeutlich formuliere:

„Ich bin das hilflose Opfer meiner schwierigen Lebensumstände, die schuld daran sind, daß ich den falschen Partner habe, der mich wegen meiner zu dünnen Waden ärgert",

ein bißchen *durchschaut* hast, kann es sein, daß sich in Deinem Innersten ein Gefühl der Freude und Dankbarkeit ausbreitet, weil da plötzlich etwas in Dich hineinsickert, das Du bisher weder für möglich gehalten noch in Erwägung gezogen hast:

Ich habe ein Recht auf Wohlbefinden und Glück! Und alles Falsche, Schwierige, Verkehrte in meinem Leben will mich nur darauf aufmerksam machen, daß ich etwas *tun* soll, um mein Wohlgefühl (wieder) herzustellen.

Lieber Single, bitte laß nicht länger zu, daß Dich die magische Sieben zum Hilflosen degradiert, der Kummer und Leid zu seinem einzigen Lebensinhalt macht. Die folgende Übung kann geschrieben oder auf Band gesprochen werden und möge Dich dabei unterstützen, für *Dein* Wohlgefühl immer besser sorgen zu lernen, indem *Du* Dich entscheidest, das für *Dich* Richtige zu tun. Bitte verändere, wenn nötig, den Wortlaut nach Deinem Empfinden.

Verantwortung übernehmen

Ich bin ein Single, der es nicht länger bleiben möchte, und daher bin ich bereit, Verantwortung zu übernehmen für das, was in meinem Leben geschieht.

Ich bin entschlossen, mein Denken zu überprüfen und in Frage zu stellen, weil ich herausfinden will, was ich ändern kann.

Ich blicke zurück auf frühere Beziehungen. Habe ich wiederholt gedacht:

Er (sie) wird sich noch ändern.

Ich krieg ihn (sie) schon dorthin.

Du wirst schon sehen, was passiert.

Der (die) ist schuld, daß ich mich ...

... so aufregen muß,

... so gekränkt fühle,

... so fertig bin,
... ständig ärgern muß,
... so mies fühle,
... so im Streß befinde,
... so kraftlos fühle.

Es liegt am Wetter, an der Politik, an meinem Aussehen, ...
... daß nichts funktioniert,
... daß es mir schlecht geht,

Gute Menschen erdulden ihr Schicksal.
Ich muß leiden.
Ich darf nicht glücklich sein.
Nur nichts falsch machen.
Lieber abwarten, was geschieht.
Daran gehe ich langsam zugrunde.
Ich verdiene kein Glück.
Das darf ich nicht, das kann ich nicht, weil sonst ...
Für _____ (Namen einsetzen)
wäre es eine Katastrophe, wenn ich ...

Muß ich einen oder mehrere Gedanken bejahen, dann leide ich vermutlich an einem Denkmuster, das für meinen nicht gewollten Single-Zustand mitverantwortlich ist.

Ich bin bereit zu lernen, Ereignisse und Situationen in meinem Leben bewußter wahrzunehmen: Was sagt mir das?

Ich bin entschlossen, Verantwortung für mich selbst zu übernehmen, indem ich lerne, für mein Wohlbefinden zu sorgen.

Ich achte von Tag zu Tag mehr auf mein innerstes Gefühl und finde damit immer deutlicher heraus, was ich wirklich will.

Es gelingt mir immer besser wahrzunehmen,
wo ich mich wohl fühle,
mit wem ich mich wohl fühle,
in welcher Situation ich mich wohl fühle,
wann ich mich wohl fühle,

und mein Wohlgefühl zu achten, indem ich für *mich stimmige* Entscheidungen treffe.

Es kann sein, daß Ängste auftauchen. Dann will ich sie in

diesem Augenblick als Zeichen meiner Veränderung liebevoll annehmen, aber nicht daran festhalten.

Ich gehe immer besser mit den Menschen in meiner Umgebung und mit meinen derzeitigen Lebensumständen um, indem ich offen, ehrlich und (möglichst) liebevoll ausdrücke, was für mich richtig ist.

Ich bin auf der Welt, um glücklich zu sein, und habe das Recht, ein für mich stimmiges Leben zu führen. Und dafür bin ich von Herzen dankbar.

Das Gute ins Kröpfchen, das Schlechte ins Töpfchen ...

Erinnerst Du Dich noch an die Geschichte vom Aschenbrödel? Und wenn ja, was hat sie in diesem Buch verloren? Diese Frage will ich gerne beantworten: Unsere Titelzeile beschreibt auf märchenhafte Weise einen Zaubertrick, der Dich möglicherweise in einer Kette kurzlebiger Beziehungen gefangen hält, *obwohl Du Dir von Herzen eine gute Beziehung wünschst, die von Dauer ist.*

Dieser Trick, den ich in der Folge als Kröpfchen-Töpfchen-Muster bezeichne, beginnt sich bereits anzubahnen, wenn ein frisch verliebter (in folgendem Beispiel weiblicher) Single vor seiner besten Freundin in Superlativen schwärmt: „Mein neuer Freund ist ein Supermann! Überdurchschnittlich intelligent, unwahrscheinlich aufmerksam, irrsinnig zärtlich, unglaublich wortgewandt und so über alle Maßen verläßlich ...“

Ein paar Wochen später hält sich die Begeisterung schon etwas in Grenzen: „Er ist in ganz in Ordnung, **aber** ..., auch intelligent, aufmerksam, zärtlich, wortgewandt und verläßlich, **aber** ...“

Und wieder ein paar Wochen später scheint aus dem einstigen Supermann ein Schatten seiner selbst, wenn nicht ein Monster geworden zu sein: „Er führt sich unmöglich auf, weiß überhaupt nicht, worum es geht, denkt nur an sich, ist grob, sagt nichts, und ich kann mich überhaupt nicht auf ihn verlassen ... Wie ist es bloß möglich,

daß sich ein Mensch innerhalb kürzester Zeit so verändern kann?"
Auf diese Frage weiß auch die beste Freundin keine Antwort.

Lieber Single, vielleicht hast Du auch schon (erfolglos) versucht, eine Erklärung dafür zu finden, warum Dein Partner so ist, wie er ist. Und wenn Du Dir mit diesem Abschnitt eine erhoffst, so tut es mir sehr leid, Dich enttäuschen zu müssen. Denn dieses Buch wurde geschrieben, damit *Du* jene Verhaltensweisen und Denkstrukturen an *Dir* erkennst, die *Dein* nicht gewolltes Single-Dasein immer wieder aufs neue verursachen. Um Dir das Herantasten an das Kröpfchen-Töpfchen-Denken zu erleichtern, von dem Du möglicherweise betroffen bist, will ich unsere Schlagzeile etwas deutlicher formulieren:

„Ich mag nur die eine Seite meines (meiner) Liebsten sehen, und zwar die, die *mir* angenehm ist. Mit der anderen, die *mir* nicht behagt, möchte ich nichts zu tun haben. Und ohne es zu ahnen, gebe ich mich daher mit einem *halben* Partner zufrieden, obwohl ich mich von Herzen nach einem *ganzen* (samt Haut und Haar) sehne."

Die Fragestellung eines Singles, der eine wirkliche *Partner*schaft anstrebt, in der sich *zwei ganze Menschen* täglich neu begegnen, müßte demnach eine andere sein, wenn er sich vom ersten Schock erholt hat: „Wie war es möglich, daß sich *mein* Über-drüber-Super-Bild, das *ich* von meinem Partner hatte, in ein so völlig anderes verwandelt hat?"

Es scheint wirklich ein seltsamer Trick zu sein, der Deinen Herzkönig in ein fürchterlich schnarchendes Ungeheuer verzaubert oder aus Deiner guten Fee eine keifende Hexe macht, so daß Du nur noch davonlaufen möchtest – obwohl Du Dir geschworen (!) hast, daß Du es diesmal schaffen wirst, zu bleiben und der weiteren Entwicklung Deiner Beziehung positiv entgegenzusehen. Es muß also in Deinem Denken etwas geben, *das die Macht hat, **Deine** Sichtweise zu verändern!*

Vom Volksmund wird dieses Zaubermittel als „Rosarote Brille" bezeichnet. Die Verzauberung der Realität kann aufgrund dieser Brille so wunderschön sein, daß Du Tatsachen überhaupt nicht wahrnehmen willst. Und wirst Du dennoch vom Leben dazu gezwungen,

Deinen Partner (Deine Partnerin) *wirklich* anzuschauen, empfindest Du das als schmerzlichen Verlust Deiner wahrlich paradiesischen Vorstellung von einem Mann oder einer Frau. Das bedeutet mit anderen Worten: Jedesmal, wenn Du feststellen mußt, daß Dein Partner (Deine Partnerin) *auch „nur" ein Mensch ist (und kein Engel),* fällst Du aus allen Wolken (!) in ein abgrundtiefes Loch ...

Es kann also sein, daß die *Konfrontation mit der menschlich-unvollkommenen zweiten Seite* Deines (Deiner) Liebsten zu einem Härtetest wird, der Dich an die Grenze Deiner emotionalen Belastbarkeit bringt, weil Dir die rosaroten Schuppen allzu plötzlich von den Augen fallen. Was Dir der König Deines Herzens oder die gute Fee Deiner Träume da noch alles präsentiert, scheinen weder engelhafte Eigenschaften noch himmlische Gewohnheiten zu sein ...

Daher ist es aus Deiner Sichtweise heraus verständlich, wenn Du mit der rauhen Wirklichkeit nichts zu tun haben willst und Dein Kröpfchen immer nur mit dem Guten, Schönen und Angenehmen gefüttert werden möchte, das Dein heißgeliebtes Gegenüber so einzigartig macht. Dennoch übersiehst Du etwas Wichtiges: Die zweite Hälfte dieser Einzigartigkeit. So wie das Aschenbrödel die guten und schlechten Erbsen auseinandersortiert hat, wirfst *Du* die zweite Hälfte Deines Partners (Deiner Partnerin) ins Töpfchen, *weil diese* **nicht Deiner** *Vorstellung vom Paradies entspricht.*

Lieber Single, es ist nicht mein Anliegen zu kritisieren, welche Eigenschaften *Du* als gut oder schlecht empfindest. Ich versuche nur begreiflicher zu machen, daß Dein Traummann oder Deine Traumfrau, in den (die) Du so verliebt bist, noch nicht so vollkommen ist, wie Du Dir das aufgrund Deiner rosaroten Brille vorstellst. Und daß nicht nur *Du* ein bestimmtes Bild von glücklicher Zweisamkeit hast, sondern Dein Partner (Deine Partnerin) *auch!*

Die *Tatsache*, daß in einer Mann-Frau-Beziehung
 zwei verschiedene Partnerschafts-Visionen
 von *zwei* einzigartigen menschlichen Wesen
 aus zwei verschiedenen Familien,
 mit zwei unterschiedlichen Vergangenheiten,
 zwei verschiedenen Meinungen,
 vielen verschiedenen Gewohnheiten,
 und einigen kleinen Fehlern,

nicht sofort und nicht absolut übereinstimmen können, *ist* genau jener winzige Zaubertrick, der Deinen liebevollen Blick verschleiert, wenn Dich Dein Partner (Deine Partnerin) in seiner (ihrer) Einzigartigkeit scheinbar auf den harten Boden der Realität zurückholt:

Du träumst von einem besinnlichen Weihnachtsfest zu zweit, aber er lädt die ganze Verwandtschaft ein ... (wie es in seiner Familie üblich ist).

Du wünschst Dir ein gemeinsames Zuhause, aber er sieht im Zusammenleben nichts Gutes ... (weil er dies in seiner Vergangenheit schon erlebt hat).

Du schwörst auf die belebende Wirkung des Knoblauchs, aber Deine Partnerin hält sich mit schwarzem Kaffee munter ... (weil sie in diesem Punkt anderer Meinung ist).

Du rauchst zur Entspannung eine Zigarette, aber Deine Partnerin entspannt sich mit einer Schachtel Pralinen ... (weil sie andere Gewohnheiten hat).

Du träumst von einem Strauß roter Rosen, aber Dein Partner hat Deinen Geburtstag vergessen ... (weil er nicht frei von Fehlern ist).

Wenn *Du* Dich also nicht länger mit einem halben Menschen zufriedengeben willst, dann darfst Du nicht mehr aus allen Wolken fallen, weil Dein Märchenprinz oder Deine Herzkönigin bisweilen auch sehr menschliche Seiten zeigt. Bevor Du also das nächste Mal zu Tode betrübt bist, obwohl Du eine Minute davor noch so himmelhoch gejauchzt hast, könntest Du einen Entschluß fassen: „Ich bin bereit, auch der zweiten Hälfte meines Gegenübers ins Auge zu blicken, weil ich mir von Herzen eine *ganze Partnerschaft* wünsche." Dies bedeutet, daß Du Dich dafür entscheidest, nicht nur die Glücksgefühle mit Deinem (Deiner) Liebsten zu genießen, sondern *auch mit seiner (ihrer) menschlichen Unvollkommenheit* liebevoll umgehen zu lernen.

Wenn *Du* eines Tages mit Deinem Partner (Deiner Partnerin) in der irdischen Variante des Mann-Frau-Paradieses leben willst, dann mußt *Du* von Herzen damit einverstanden sein, wenn er (sie) bisweilen das hohe Podest verläßt, auf das *Du* ihn (sie) aufgrund Deiner rosaroten Brille gestellt hast. Dein Liebster (Deine Liebste) weiß ja gar nicht, daß er (sie) *in Deinen Augen* in schwindelnder Höhe auf einer Wolke sitzt! Er (sie) ahnt auch nichts davon, daß Du ihm (ihr) Engelsflügel verliehen hast, weil er (sie) sich von *seinem (ihrem) Blickwinkel aus gesehen* als ganz normalen Durchschnittsmenschen bezeichnet ...

Wenn Du Dich dazu entschließt, auch mit der Kehrseite Deines (Deiner) Geliebten besser als bisher umgehen zu lernen, mußt *Du* einem neuen Gedanken die Chance zur Entfaltung geben und *auch Dir selbst das Recht auf „menschliche" Eigenschaften, Gewohnheiten und Unzulänglichkeiten zugestehen: „Ich bin auch nur ein Mensch, genauso wie mein Partner (meine Partnerin)."*

Die Erkenntnis, *daß auch Du vollkommen Mensch sein darfst,* weil Du zum Beispiel

✗ die Eigenschaft hast, um vier Uhr morgens besonders fröhlich und kreativ zu sein,

✗ die Gewohnheit hast, Deinen Kleiderschrank nur alle sechs Wochen in Ordnung zu bringen,

✗ einmal vergißt, für das Abendessen einzukaufen,

wird es Dir erleichtern, der zweiten Hälfte Deines (Deiner) Herzallerliebsten, vor der Du bis jetzt immer wieder zurückschrecktest, mit wachsender Gelassenheit zu begegnen.

> Und je öfter es Dir gelingt, *Deine* nur allzu menschliche Unvollkommenheit 1. anzunehmen, 2. zu zeigen und 3. zu vertreten, indem Du Dich einfach und klar ausdrückst, desto leichter wirst Du es schaffen, mit den Eigenschaften, Gewohnheiten und Unzulänglichkeiten Deines Partners (Deiner Partnerin) zurecht zu kommen, die Du möglicherweise bis jetzt nicht sehen wolltest. Seine (ihre) „menschliche Hälfte" anzunehmen bedeutet aber nicht, *daß Du so werden sollst wie er (sie).*

zu 1.:

„Ich *muß* nicht immer perfekt, immer zur Stelle, immer pünktlich, immer frisch und ausgeruht oder immer frisiert sein."

zu 2.:

„Also *bin* ich nicht immer perfekt, zur Stelle, pünktlich, frisch und munter oder frisiert."

zu 3.:

Ich bin nicht perfekt: „Das mag (kann, will) ich. Das mag (kann, will) ich nicht. Das liegt mir. Das liegt mir nicht."

Ich bin nicht immer zur Stelle: „Jetzt habe ich zu tun." oder „Jetzt habe ich keine Zeit."

Ich bin nicht immer pünktlich: „Ich habe die U-Bahn versäumt." oder „Ich habe länger gebraucht, als ich dachte."

Ich bin nicht immer frisch und munter: „Ich bin heute etwas müde." oder „Ich gehe heute zeitig zu Bett."

Ich bin nicht immer frisiert: „Ich mag mich auch unfrisiert." oder „Es ist mir heute nicht wichtig, wie ich aussehe."

Du mußt Dir das Singen von Arien in der Badewanne nicht angewöhnen, und Du brauchst auch nicht unpünktlich zu sein. Annehmen heißt nur, daß Du *in jeder Minute bereit sein willst,* für Deinen Partner (Deine Partnerin) liebevolles Verständnis, Mitgefühl und Toleranz aufzubringen.

Möge es Deinem Herzen gelingen einzusehen, daß die Einzigartigkeit eines menschlichen Wesens verlorenginge, wenn Du nur der unwahrscheinlich traumhaft schönen Hälfte Deine Zustimmung gibst. *Du* bist, wie Du bist – und Dein Partner (Deine Partnerin) auch. Und wenn *Du* eine *Verbesserung* Deiner Situation („Ich bin ein Single, der sich damit zufrieden gibt, mit verschiedenen Männern [Frauen] für kurze Zeit im siebenten Himmel zu schweben und deswegen keine *ganze* Partnerschaft zu haben.") *anstrebst,* kann Dir die folgende Übung als Unterstützung dienen (schreiben oder auf Band sprechen).

Die rosarote Brille ablegen

Ich bin ein Single, der sich von Herzen eine glückliche, liebevolle Partnerschaft wünscht, die von Dauer ist.

Dieser Wunsch hat sich bis heute nicht erfüllt.

Daher will ich herausfinden, warum meine Beziehungen nicht lange halten, obwohl ich so viel Liebe in mir fühle.

Ich erinnere mich zurück an die Phasen meines Verliebtseins:

Verwende ich dann häufig die Worte: unwahrscheinlich, irrsinnig, unglaublich, riesig, überglücklich, wahnsinnig, unfaßbar, unbegreiflich?

    a. nein   b. ja

weiter mit b.:

Damit will ich mein Glücklichsein ausdrücken, wenn ich verliebt bin. Und weil dieser Zustand für mich so wunderschön ist, will ich ihn auf keinen Fall aufgeben.

Aus diesem Grund kann es geschehen, daß ich nur die eine Hälfte meines Partners (meiner Partnerin) sehen möchte, und zwar die, die mir angenehm ist.

Weil ich mich jedoch von Herzen nach einem ganzen Partner (einer ganzen Partnerin) sehne, bin ich entschlossen, mit seiner (ihrer) zweiten Hälfte umzugehen zu lernen.

Dies gelingt mir von Tag zu Tag besser, wenn ich mir das gleiche Recht auf bestimmte Eigenschaften und Gewohnheiten zugestehe wie meinem Partner (meiner Partnerin) und einsehe, daß ich auch Fehler machen darf, genauso wie er (sie).

Ich erkenne, daß meine Einzigartigkeit genauso verlorengeht wie die meines Partners (meiner Partnerin), wenn ich nur die Hälfte davon mag.

Mein Wunschziel ist eine Partnerschaft, in der sich *zwei* einzigartige Menschen täglich neu begegnen. Und deshalb bin ich bereit, sowohl mich selbst als auch mein Gegenüber als Ganzes zu sehen. Dies bedeutet nicht, daß ich genauso werden muß wie er (sie).

Es ist nur mein aufrichtiger Wunsch, mich selbst und meinen Partner (meine Partnerin) als vollständigen Menschen anzunehmen.

Jeder Ausdruck seines (ihres) Wesens ist eine Chance für mich, tolerant, mitfühlend, gelassen und liebevoll zu reagieren. Das tue ich, so gut ich es kann und freue mich über jeden gelungenen, kleinen Schritt.

Je öfter mir dies gelingt, desto näher komme ich der Erfüllung meines Wunsches: *Liebe* zu erleben, die von Dauer ist. Und dafür bin ich dankbar.

Kapitel 3

Wie man ein Seelenpartner wird

Selbstmitleid ade

Christa:

Mein Selbstmitleid zu überwinden hat viele Jahre gedauert. Ich war mir lange nicht bewußt, daß ich mir selbst leid tat. Traurige Filme ohne „Happy End" waren mein tägliches Freizeitprogramm. Und wenn die Geschichte dann wider Erwarten doch gut ausging, weinte ich um so mehr, weil all meine Gefühle hervorbrachen, die mir mein einsames Singles-Dasein bewußt machten. Schwermütige Musik und Schlager mit melancholischen Texten liebte ich am allermeisten. Oft hatte ich monatelang kein Bedürfnis nach Abwechslung oder Kommunikation und verkroch mich in meiner Wohnung. Das ging so weit, daß ich den Hörer neben das Telefon legte, damit mich niemand erreichen konnte. Am Höhepunkt meiner Selbstmitleidphase angelangt, war ich taub und blind geworden für liebevolle Signale, die mir von Freunden und meiner Familie immer wieder entgegengebracht wurden. Ich konnte oder wollte sie nicht mehr wahrnehmen und lehnte alles ab, was mir hätte helfen können, aus diesem Zustand herauszufinden. Heute weiß ich, daß dies ein Fehler war, und bin dankbar für die daraus folgenden Erkenntnisse, die ich gern an alle Singles mit einem ähnlichem Problem weitergeben möchte. Mögen einige hilfreiche Impulse für Dich dabei sein.

Karl:

„Selbstmitleid" war für mich ein Begriff, der in meinem bisherigen Leben keinen bewußten Stellenwert hatte. Um so deutlicher kam es zum Vorschein, als ich am tiefsten Punkt meines bisherigen Lebens angelangt war. Körperlich und psychisch am Ende. Wie am Beginn des Buches beschrieben, lag ich im Krankenhaus und hatte viel Zeit nachzudenken. Heftige Schmerzen und seelischer Kummer trieben mich zur Verzweiflung, und vieles in mir wehrte sich dagegen, die momentan so schwierige Lebenssituation anzunehmen, ohne zu hadern und ohne mir deswegen leid zu tun. Total mit mir selbst beschäftigt, war ich blind für das, was sich rund um mich abspielte. Ein Buch über positives Denken veränderte jedoch meine Einstellung von einer Stunde zur anderen. Es war mir plötzlich möglich, auch das Elend der anderen Kranken wahrzunehmen – und ich fragte mich: „Was willst Du eigentlich ..." In diesem Moment war ich aus der Selbstmitleidphase befreit, weil ich erkannte, daß andere ebenso viel Leid zu ertragen hatten wie ich selbst, und weil ich mich ab sofort auf das Gute und Positive konzentrierte, was mir trotz aller Schwierigkeiten noch geblieben war: Entschlußkraft, Wille, Durchhaltevermögen, Hoffnung – und der Glaube, daß ich es schaffe, gesund zu werden.

Lieber Single, auch Du hast Deine Gründe dafür, warum Du jetzt ein unfreiwilliger Single bist. Ein Single-Dasein zu führen mag zwar Teil Deines Schicksals sein, was aber nicht bedeuten muß, daß Dein momentanes Alleinleben zum traurigen Dauerzustand werden soll. Mag sein, daß das Wort „Schicksal" etwas Unbehagen in Dir auslöst, und deshalb will ich Dir eine andere Definition dafür anbieten:

<u>Dein Schicksal ist die Summe aller Aufgaben, die sich Dir stellen, und zugleich die Summe aller Chancen, die sich Dir bieten.</u>

Wenn Du bereit bist, ein bestimmtes Problem in Deinem Leben als lösbare Aufgabe zu betrachten, während Du noch dazu das wunderbare Geschenk einer Einsicht bekommst, eröffnet sich eine völlig neue Sichtweise, was Dein Schicksal betrifft. Mögen die einzelnen Aufgaben auch vorerst schwierig oder unlösbar erscheinen, so sind sie dennoch immer eine Möglichkeit, reicher zu werden. Eine bestimmte (schmerzliche, bittere, traurige ...) Erfahrung zu machen mag Dir im Augenblick des Erlebens als kein sehr schönes Geschenk vorkommen – und doch kann genau diese Erfahrung zu einer bereichernden Erkenntnis werden, die Dir ein großes Stück weiterhilft. Vertraue darauf, daß Du nur mit solchen Problemen konfrontiert wirst, die zu meistern Du wirklich fähig bist. Dies wurde von einer höheren Intelligenz für Dich festgelegt, die gütig und weise Deinen Weg lenkt und Dir immer nur helfen möchte, *bewußter* zu werden.

Wenn Du Dich manchmal ärgerst oder traurig bist, weil einfach nichts gelingen will, und Du Dich dann zu Hause vergraben möchtest, dann gönne Dir auch diese Stunden von Herzen. Wenn nichts klappt und es so aussieht, als hätte sich die ganze Welt gegen Dich verschworen, mag es vorerst heilsam sein, wenn Du Dich eine Weile vor der rauhen Welt abschirmst und Deinen verletzten Gefühlen, Deinem Frust oder Deinem Widerwillen freien Lauf läßt. Der *Selbstmitleid-Dauerzustand* ist jedoch mit Vorsicht zu genießen, da er Dich immer mehr in die Isolation treiben kann, aus der Du ja eigentlich herauskommen willst. Wenn Du Dir leid tust, dann bewegen sich Deine Gedanken ungefähr in diese Richtung:

„Ich habe kein Glück."

„Niemand liebt mich."

„Dieses oder jenes ist zuviel für mich."

„Warum immer ich?"

„Ich bin nur zum Leiden auf der Welt."

„Der (die) hat es viel leichter als ich."

„Das Schicksal meint es nie gut mit mir."

„Ich bin der (die) Ärmste."

„Ich habe es am schwersten."

„Mein Schicksal ist nun mal hart."

„Ich bin ein Pechvogel."

„Ein Mann (eine Frau) wird mich nie verstehen."

„Was kann ich dafür, daß meine Beziehungen immer scheitern?"

Wenn Du solche oder ähnliche Gedanken produzierst, dann darfst

Du Dich nicht wundern, wenn Du Dein vorübergehendes Single-Dasein *genauso (negativ) empfindest und erlebst, wie Du denkst:* Überlastet, enttäuscht und unglücklich ergibst Du Dich in Dein schweres, trauriges, hartes Schicksal in der festen Überzeugung, daß Du nur zum Leiden auf der Welt bist, weil es niemand so schwer hat wie Du.

Lieber Single, es ist weder mein Anliegen, noch steht es mir zu, Dein persönliches Schicksal zu beurteilen, das Dir vielleicht sehr schwierige oder schmerzliche Lektionen beschert. Ich will Dich nur sanft darauf aufmerksam machen:

Dein Denken bestimmt, *wie* Du Deinen momentanen Single-Zustand erlebst, und jeder Gedanke ist eine Ent-scheidung, die Du selbst triffst.

Diese Behauptung wird durch eine nähere Betrachtung des Wortes „Selbstmitleid" verständlicher und zeigt Dir etwas deutlicher, *wie* Du denkst, wenn Du scheinbar ohne Dein Zutun von Selbstmit-leidswellen überschwemmt wirst: Selbst-mit-Leid hört sich in um-gekehrter Wortfolge so an: „Leide-mit-mir-selbst". Dies bedeutet, daß ich *leide*, weil ich so bin, wie ich bin.

Verfolgt man diesen Gedanken noch weiter und schmückt ihn aus, kommt ungefähr folgende Geisteshaltung zustande: „Ich leide, weil ich so arm, unfähig, schwach, hilflos, linkisch, unmöglich, kindisch etc. bin. Und obwohl ich damit überhaupt nicht glücklich bin, habe ich mich bis heute nicht geändert. Dies ist mein Schicksal und ich kann nichts tun."

Lieber Single, es ist wirklich traurig, daß Du kein einziges Pro-blem in Deinem Leben mit solchen Gedanken lösen wirst! Auch Dein derzeitiges Single-Leben läßt sich weder durch Tränen noch durch Trotz meistern. Es wartet vielmehr auf Deine Bereitwillig-keit und Dein Engagement.

Mit dieser gut gemeinten Aufforderung will ich *nicht* Dein Be-dürfnis in Frage stellen, Dich kurzfristig dem Selbstmitleid hinzu-geben, sondern nur darauf aufmerksam machen, *daß Du Deine eigentliche Aufgabe vor Dir herschiebst, wenn Du Dich dem Selbst-mitleid unterwirfst.*

Dein jetziges Single-Dasein ist Deine Aufgabe und zugleich Deine Chance. Und diese soll von *Dir* freudig angenommen und möglichst tatkräftig gelöst werden. Vielleicht hast Du Dich schon oft gefragt, was das für eine Chance sein soll, weil Du keine siehst. Dann magst Du den Mut aufbringen, Dein *derzeit aktuelles Problem* wirklich näher anzuschauen, denn dieses *ist* bereits Deine erste Chance: In dem Moment, in dem *Du* etwas *tust*, das diesem Problem zu einer für Dich glücklichen Lösung verhilft, hast Du Deine Chance bereits wahrgenommen und positiv genutzt.

Die Entscheidung, *wann* Du Dein Problem lösen willst, bleibt Dir überlassen. Doch bedenke bitte, daß Widerwille, Trotz oder Tränen Dein Problem nicht beseitigen, sondern nur in die Zukunft verlagern. Und deshalb wird Dich Dein Schicksal durch bestimmte Situationen mit bestimmten Menschen (die Dir immer wieder dieselben Probleme „machen" ...) so lange darauf hinweisen, bis Du zu handeln bereit bist.

Eine Zeitlang als Single zu leben ist vielleicht jetzt Deine Aufgabe. Und damit es Dir gelingt, diese möglichst freudvoll zu meistern, magst Du bereit sein, Deine Selbstmitleids-Phasen in einen Selbstbeobachtungs-Prozeß zu verwandeln, *anstatt nur darin zu versinken.*

Wenn Du Dich also entschließt, Deine derzeitige Lage (Dein aktuelles Problem) wirklich lösen zu wollen, kann es sehr hilfreich sein, wenn Du als ersten Schritt in diese Richtung lernst, Dich selbst zu beobachten. Indem Du herausfindest, wann, wo und mit wem Du zu einer emotionellen Reaktion neigst oder wann, wo und mit wem Du Dich handlungsunfähig oder „wie gelähmt" fühlst, wirst Du Deiner eigentlichen Aufgabe (die sich hinter Deinem Problem versteckt) schrittweise auf die Spur kommen.

Die folgende Schreibübung kannst Du als Einstieg zur Selbstbeobachtung verwenden. Bitte beantworte die Fragen so ehrlich und ausführlich wie möglich.

Ich erkenne meine Gefühle und Reaktionen

Welche Situation genau war es, die mich in letzter Zeit
geängstigt hat,
zum Weinen gebracht hat,
„Nerven" gekostet hat,
ärgerlich gestimmt hat,
zornig werden ließ,
wütend gemacht hat,
fertig gemacht hat,
„gelähmt" hat,
hilflos gemacht hat („Ich kann nichts tun" ...),
zur Verzweiflung brachte.

Ich versetze mich jetzt nochmals in diese Situation und bemühe
mich, den Wunsch meines innersten Wesens herauszufinden:

„Wie hätte ich viel lieber (am allerliebsten) reagiert?"

Wo war ich, als mir eine (mehrere) der obigen Reaktionen passiert ist (sind):

in meiner Wohnung (meinem Haus),
bei meinem Freund (meiner Freundin),
bei meinen Eltern (Mutter, Vater),
an meinem Arbeitsplatz,
in neuer (fremder) Umgebung
woanders?

Ich versetze mich nochmals an diesen Ort, weil ich herausfinden
möchte, wo ich mich wohl (sicher, geborgen ...) fühle und wo
nicht:

„Wo fühle ich mich besonders wohl?"
„Wo verliere ich mein Wohlgefühl?"

Wer war dabei, als mir eine (mehrere) der obigen Reaktionen
passiert ist (sind):

mein derzeitiger Freund (Partner),
meine jetzige Freundin (Partnerin),
mein früherer Partner (meine frühere Partnerin),

meine Eltern (Mutter, Vater),
meine Kinder (Sohn, Tochter),
mein Chef,
Arbeitskollegen,
Bekannte,
Nachbarn,
fremde Menschen.

Ich sehe noch einmal mein Gegenüber deutlich vor mir, weil ich herausfinden möchte, mit wem ich mich wohl fühle und mit wem nicht:

„Wenn ich mit _____ (Namen einsetzen) zusammen bin, fühle ich mich wohl."

„Wenn ich mit _____ (Namen einsetzen) zusammen bin, verliere ich mein Wohlgefühl."

Lieber Single, wenn Du immer aufs neue bereit bist, sich in bestimmten Situationen mit bestimmten Menschen zu beobachten, nutzt Du Deinen (zeitweisen) Selbstmitleidszustand auf sehr positive und konstruktive Weise. Dein eigentliches Problem wird sich immer deutlicher herauskristallisieren, so daß Du an dessen Lösung mutig, entschlossen und beharrlich herangehen kannst.

Alles, was in Deinem Leben derzeit passiert, hat Berechtigung und Sinn, weil Dir damit etwas Bestimmtes gezeigt wird, worauf Du möglicherweise bis jetzt zu wenig geachtet hast. Vielleicht bist Du jetzt deswegen Single, weil es Deine Aufgabe ist, eine neue Eigenschaft zu entwickeln, eine Begabung zu fördern oder allein einen Haushalt führen zu lernen. Du wirst bestimmt rascher herausfinden, warum Dich das Schicksal in den Single-Zustand gebracht hat, wenn Du bereit bist anzuerkennen, daß es Dein Schicksal *gut* mit Dir meint:

„Die Situation, in der ich jetzt bin, will mir etwas sagen."

„Ich habe eine Chance, auch wenn ich diese noch nicht klar sehe."

„Ich bin bereit, meine Aufgabe anzunehmen und vertraue darauf, sie lösen zu können."

„Das Schicksal meint es gut mit mir."

Wenn Du so zu denken lernst, wird es Dir immer besser gelingen, auch das kräfteraubende Selbstmitleid als *gut* zu begreifen, weil Du daraus eine Erkenntnis gewinnen könntest:

Ich quäle mich nur deshalb, damit ich endlich darauf komme, was ich tun kann, damit ich mich besser fühle.

In dem Moment, in dem Du erkannt hast, was das ist, das Dir jetzt Freude, Erleichterung und Wohlbefinden bringen könnte, und das Entsprechende *tust*, wird Dein Selbstmitleid augenblicklich verschwinden, weil es seinen Zweck für Dich erfüllt hat. Anstatt also Deine Traurigkeit oder Deinen Widerwillen durch ebensolche Gedanken zu verstärken („Bei mir geht immer alles schief, ich schaffe das nicht, das kann ich nicht ..."), kannst Du Deiner Phantasie die Chance geben, sich zu entfalten, bevor Du das nächste Mal von Selbstmitleid überschwemmt wirst:

„Was würde ich jetzt am allerliebsten tun?"
„Womit hätte ich jetzt die größte Freude?"
„Was würde mir jetzt am meisten helfen?"
„Wo würde ich mich jetzt am wohlsten fühlen?"
„Welche Möglichkeit habe ich jetzt in diesem Augenblick, um einen kleinen Teil davon in die Tat umzusetzen?"

Diese Fragen möglichst ausführlich zu beantworten und niederzuschreiben wäre zum Beispiel eine kreative, freudvolle Beschäftigung an einem verregneten Sonntagmorgen. Es ist niemand da, der den freien Lauf Deiner Phantasie beeinflußt, so daß Du es wirklich genießen kannst, die Bilder Deiner momentanen Wunschvorstellungen herauszulassen. Wenn Du Dir die Mühe machst, diese kleine Übung wirklich durchzuführen, konzentrierst Du Deine Gedanken automatisch auf etwas Positives, das Dir jetzt gut tun würde, und entgehst so der Gefahr, an diesem trostlosen Morgen zu sehr ins Selbstmitleid abzugleiten.

Je nach Lust und Laune könntest Du diese Übung erweitern:

„Was würde ich beruflich tun, wenn ich die freie Wahl hätte?"
„Womit hätte ich die größte Freude, die ich mir vorstellen kann?"
„Was würde ich mir kaufen, wenn ich Geld dafür hätte?"

„Wo würde ich am liebsten wohnen, wenn ich nur für mich zu entscheiden hätte?"

„Welche drei Wünsche hätte ich, wenn ich wüßte, daß diese sogleich in Erfüllung gehen?"

Und sollte es Dir an einem grauen Feiertagsmorgen trotz aller guten Vorsätze nicht gelingen, dem Selbstmitleid zu entgehen, weil Du Dich so allein fühlst, Dir zum Heulen oder zum Trotzen zumute ist, mag Dir der folgende Text ein kleines Lächeln entlocken:

Eine Geschichte für weibliche Singles:

Es war einmal eine kleine Prinzessin, die in einem wunderschönen Schloß wohnte. Und obwohl dieses Schloß so riesengroß war, gab es nur ein paar Menschen dort, die einander kaum kannten. Jeder war mit sich beschäftigt, so daß keine Zeit übrig blieb, miteinander fröhlich zu sein und zu lachen. Selbst der König war kaum zu sehen, da er stets Wichtiges zu erledigen hatte. Und wenn dennoch eine freie Stunde übrig blieb, eilte er in das Gemach seiner Königin, um sich mit ihr zu unterhalten. Es kam also vor, daß sich die Bewohner des Schlosses tagelang nicht begegneten. Und deshalb bemerkte auch keiner, daß die kleine Prinzessin immer trauriger wurde, weil es niemanden gab, der sich um ihre kindlichen Wünsche gekümmert hätte. Dabei hätte sie so gern draußen gespielt und gelacht. Das Schloß zu verlassen hatte jedoch der König bei strengster Bestrafung verboten. Es vergingen viele Jahre. Das Leben und Treiben im Schloß hatte sich kaum verändert. Nur die Prinzessin war inzwischen zu einer lieblichen jungen Dame herangewachsen. Und obwohl sie jetzt alt genug war, selbst zu entscheiden, hielt sie sich immer noch an das Verbot des Königs. In vielen einsamen Stunden weinte sie darüber, daß sie ein so trauriges Schicksal hatte. Trotzdem änderte sich nichts. Das große Tor blieb für sie verschlossen, so wie es der König vor langer Zeit angeordnet hatte. Hoffnungslos und von Kummer geschwächt ergab sich die Prinzessin ihrem Schicksal, für immer eingesperrt zu sein. Doch eines Nachts, als sie wieder so bitterlich weinte, geschah etwas Wunderbares. Die sanfte Stimme eines Engels flüsterte ihr zu: „Du bist nicht auf der Welt, um eingesperrt zu sein."

Und ehe noch die Prinzessin erwidern konnte „Aber der König will es so ...", sprach der Engel weiter: „Du bist deswegen in diesem Schloß, weil Du etwas lernen sollst."

„Ich kann nichts lernen, weil ich hier nicht raus kann", erwiderte die Prinzessin der Verzweiflung nahe.

„Genau das ist Deine Aufgabe", antwortete der Engel und schon war er weg.

„Jetzt kenne ich mich gar nicht mehr aus", wollte die Prinzessin schon denken, als ihr plötzlich ein Licht aufging: „Ich bin nur deswegen eingesperrt, weil ich lernen soll, mich zu befreien! Das also ist meine Aufgabe!"

Dankbar für diese Erkenntnis blickte die Prinzessin zum nächtlichen Sternenhimmel. Und es kam ihr so vor, als würde sie die Engelstimme noch einmal hören: „Du bist jetzt erwachsen und hast viele Möglichkeiten, das Schloß zu verlassen. Wähle die beste für Dich – und handle."

Und so kam es, daß die Prinzessin am nächsten Morgen eine Überraschung erlebte: Das große Tor war offen, was sie niemals vermutet hatte.

„Warum habe ich bloß so lange gewartet?" wunderte sie sich, während sie glücklich und lachend der Sonne entgegenlief.

Eine Geschichte für männliche Singles:

Es war einmal ein kleiner Prinz, der in einer großen, alten Burg wohnte. In dieser Burg gab es unzählige Gänge, Räume und Türme. Doch niemand interessierte sich dafür, die Burg zu erkunden und all ihre Möglichkeiten wahrzunehmen. Jeder war rund um die Uhr mit sich beschäftigt. Auch die Königin hatte sehr viel zu tun, und wenn dennoch eine Stunde übrig blieb, verbrachte sie diese im Gemach des Königs. So kam es, daß sich der kleine Prinz viele Stunden allein beschäftigen mußte. Weil er aber kein Kind von Traurigkeit war, begann er, auf eigene Faust die Burg zu erforschen. Es bereitete ihm viel Freude, auf Entdeckungsreise zu gehen und seine Kraft zu erproben. Denn eines Tages, wenn er groß geworden war, wollte er ein mutiger, starker Ritter sein.

Es vergingen viele Jahre. Am Leben und Treiben im Schloß hatte *sich kaum etwas verändert. Nur der kleine Prinz war zu einem jungen Mann herangewachsen. Schon lange gab es in der Burg keinen einzigen Winkel mehr, den er nicht erforscht hatte. Nur das Burgtor wollte er nicht sehen, denn dieses erinnerte ihn stets an sein Eingesperrtsein. Obwohl der Prinz inzwischen alt genug war, selbst zu entscheiden, hielt er sich noch immer an den Befehl der Königin, die Burg nicht zu verlassen. Dabei wollte er so gern durch das Land reiten und viele Abenteuer bestehen! Und obwohl sich alles in ihm wehrte, ergab sich der Prinz trotzig seinem Schicksal, ein langweiliges Leben führen zu müssen.*

Doch eines Nachts, als er darüber wieder so wütend war, hörte er die sanfte Stimme eines Engels: „Du bist nicht auf der Welt, um eingesperrt zu sein."

Und ehe noch der Prinz seine Verzweiflung herausbrüllen konnte: „Aber die Königin will es so!", sprach der Engel weiter: „Du bist deswegen hier, weil Du etwas lernen sollst."

„Ich habe die ganze Burg erforscht! Hier gibt es nichts mehr zu lernen!" verteidigte sich der Prinz.

„Genau das ist Deine Aufgabe", lächelte der Engel und schon war er weg.

„Welche Aufgabe muß ich hier noch lösen?" rätselte der Prinz, als ihm plötzlich ein Licht aufging: „Ich soll lernen, wie ich hier rauskomme! Und nur deshalb bin ich hier!"

Dankbar für diese Einsicht und glücklich über seine wiederkehrende Kraft richtete der Prinz seinen Blick zum nächtlichen Sternenhimmel. Und es kam ihm so vor, als würde er noch einmal die Engelstimme hören: „Du bist jetzt erwachsen. Es gibt viele Möglichkeiten, die Burg zu verlassen. Wähle die beste für Dich – und handle."

Und so kam es, daß der Prinz am nächsten Morgen eine Überraschung erlebte: Das Tor war offen.

„Warum bin ich nicht schon früher hierhergekommen?" fragte sich der Prinz, während er mit Feuereifer der Sonne entgegenritt.

Glaube

Vor kurzem saß ich in einem Wiener Kaffeehaus und genoß eine Stunde der Entspannung. Mit meinen eigenen Gedanken beschäftigt, bekam ich trotzdem mit, daß eine der beiden Damen am Nebentisch Liebeskummer hatte. Die tröstenden Worte der Freundin schienen jedoch nicht viel zu bewirken, da die Tränen nicht aufhörten zu fließen.

Wie schon oft zuvor mit einer (leider) fast alltäglichen Situation im Leben vieler Singles konfrontiert, blieb mir vom traurigen Monolog der Betroffenen ein Satz im Gedächtnis, der mich sehr berührt hat: „Ich glaube an nichts mehr."

Lieber Single, wenn auch Du ein Glaubensproblem hast, bitte ich Dich mit diesem Abschnitt, den Glauben an Dich selbst wieder finden zu wollen. Daß Glaube Berge versetzen kann, ist nicht nur ein Sprichwort, sondern eine Wahrheit, die ich mit Dir gemeinsam herausfinden möchte.

Wenn Euer Glaube nur so groß wäre wie ein Senfkorn, dann würdet Ihr zu diesem Berg sagen, rück Dich von hier nach dort, und er würde wegrücken. Nichts wird Euch unmöglich sein. (Matthäus)

Alles, was Ihr erbittet, werdet Ihr erhalten, wenn Ihr glaubt. (Markus)

Was Glaube wahrhaftig *ist*, scheint mit Worten nicht exakt genug zu erklären sein, so daß Du aufgrund einer eindeutigen Definition sagen könntest: „Glaube ist ... Und weil ich das jetzt weiß, kann ich wieder glauben."

Gerade die Tatsache, daß sich Glaube weder logisch definieren, noch wissenschaftlich erklären läßt, kann zu der Einsicht führen, daß Glaube etwas sein muß, was bestenfalls durch einen ähnlichen Begriff ersetzt werden kann.

Wenn es etwas gibt, das Berge (!) versetzen kann, muß dies eine immense Kraft sein, die so etwas bewirkt! Und deshalb ist es zutreffender, wenn Du das Wort „Glaube" durch das Wort „Energie" ersetzt. Wenn Du nicht (mehr) glauben kannst, ließe sich Dein Zustand in dieser Übersetzung ungefähr so formulieren: „Ich habe keine Energie mehr und weiß nicht, wie und wo ich neue Energie schöpfen kann."

Lieber Single, die *Quelle* der Energie, die Du aufgrund Deiner Erschöpfung so verzweifelt suchst, ist nicht dort, wo Du diese vielleicht vermutest:

bei Deinem Partner (Deiner Partnerin),
bei Deinen Eltern (Mutter, Vater),
bei Deinen Kindern (Sohn, Tochter),
bei Freunden,
an Deinem Arbeitsplatz,
in Deiner Wohnung (Haus),
an einem Urlaubsort,
in einem fernen Land,

sondern befindet sich in *Deinem* Herzen. Das bedeutet, daß Du die Quelle Deiner Energie immer mit dabei hast, gleichgültig wo Du Dich aufhältst oder mit wem Du zusammen bist.

Wenn Du nämlich etwas außerhalb von Dir als Energiequelle ansiehst, gibst Du die *Verantwortung* für *Dein* Befinden in fremde Hände und bist dann enttäuscht, wenn die Quelle nicht hält, was sie verspricht. Wahrscheinlich hast Du das schon am eigenen Leib erfahren, wenn auch leider in destruktiver Form: Wenn Du Dich wegen eines Liebeskummers krank und kraftlos gefühlt hast, dann hast Du Deinen Partner (Deine Partnerin) als einzige Quelle für Dein Glück angesehen. In dem Moment, in dem Deine Beziehung zu ihm (ihr) unterbrochen war, ließ Deine Lebensfreude und Deine schöpferisch-kreative Kraft immer mehr nach, weil Du

1. den Zustand *Deines* Befindens von einem anderen Menschen abhängig gemacht und
2. vergessen hast, daß Du über eine eigene Energietankstelle verfügst!

Worauf *Du* Deine Aufmerksamkeit richtest, ist das, woran *Du* glaubst. Und das, woran *Du* glaubst, bestimmt *Deine* Verfassung.

Ich will Dir nun eine Schlußfolgerung anbieten, mit der ich beweisen möchte, daß Du Lebensfreude, Kraft und Energie weder durch einen Tapetenwechsel noch durch einen ständigen Partnerwechsel finden kannst:

Nachdem Dich der *Zustand Deines Befindens*

„Ich bin zufrieden, glücklich und voll Energie" oder
„Ich bin unzufrieden, unglücklich und kraftlos"

überall hin begleitet (oder verfolgt), wo *Du* bist, *muß* auch die
Quelle dieses Zustandes in *Dir* liegen (und nicht bei einem anderen
Menschen oder an einem anderen Ort). Zwei Beispiele:

Du hast einen Partner (eine Partnerin), der (die) so ist, wie er
(sie) ist. Am Sonntag, Dienstag und Donnerstag bist *Du* mit ihm
(ihr) glücklich, am Montag, Mittwoch, Freitag und Samstag bist
Du mit ihm (ihr) unglücklich, *obwohl Dein Partner (Deine Partnerin) immer der(die)selbe ist!*

Du hast ein Zuhause. Während der Woche bist *Du* froh, dort
Entspannung zu finden, doch am Wochenende hältst *Du* es zu Hause
nicht aus, *obwohl Deine Wohnung immer dieselbe ist!*

Was sich verändert, sind also weder die Menschen, mit denen
Du zusammen bist, noch die äußeren Umstände.

<u>Was sich verändert, ist *Dein* Befinden!</u>

Und deshalb ist es so wichtig, daß Du gelegentlich Deine alten
Glaubenssätze überprüfst.

Wenn Du zum Beispiel glaubst, daß „Gutmütigkeit immer mit
Dummheit verwechselt wird", dann wirst Du Dir einerseits wie ein
Tölpel vorkommen, wenn Du gutmütig und liebevoll bist, und andererseits jeden Menschen als Narren bezeichnen, der gut zu Dir ist.

Wenn Du glaubst, daß „man um das Glück kämpfen muß", dann
wirst Du das Glück, das Dir „wie von selbst in den Schoß fällt"
nicht zu schätzen wissen (oder im Extremfall zurückweisen), und
das Leben wird Dich immer wieder in Situationen bringen, wo Du
um Dein Glück (um Deine Zeit, um Deine Ruhe, Deine Freiheit,
Deinen Frieden ...) *kämpfen* mußt.

Deine Suche nach Glaube ist also letztendlich die Suche nach
einem gleichbleibend guten, energiegeladenen Zustand, der Dich
überall hin begleitet – gleichgültig, wo oder mit wem Du zusammen
bist. Diesen Zustand zu finden und zu bewahren ist gar nicht so
schwierig, wie Du vielleicht denkst! Du brauchst Dich nur an die
einzige Instanz zu wenden, die für diesen Zustand verantwortlich
ist: Und das bist *Du selbst*. Nicht Dein Partner, nicht Deine Eltern,

Geschwister, Kinder oder Freunde, auch nicht Dein Chef oder ein fernes Land, wo Du zu finden glaubst, was Du suchst.

Hast Du Dir schon einmal Gedanken darüber gemacht, wer *Du selbst* überhaupt bist und wann und wo Du „*Du selbst*" bist? Wenn nicht, dann erlaube mir bitte, Dir bei der Antwort zu helfen:

> Du bist immer dann *Du selbst,* wenn Dein Herz mit ein-
> bezogen ist, wo immer Du bist oder was immer Du tust.

Die Botschaft Deines Herzens ist die Quelle Deiner Kraft. Mit dieser Quelle bist Du immer verbunden, auch wenn Du das manchmal nicht bemerkst. Wenn Du eine schmerzliche Enttäuschung erlitten hast, kann es sein, daß Deine Quelle nur so winzig wie ein kleiner Lichtpunkt ist. Das letzte Fünkchen Glaube an das, was Dir Dein Herz sagt, scheint verbraucht zu sein. Auch eine bittere Erfahrung, die Du gemacht hast, kann Dich eine Zeit lang vergessen lassen, wieviel freudvolle Energie noch immer dort schlummert, wo Dein wirkliches Wesen beheimatet ist. Wenn Du in einer schwierigen Situation steckst, fleht Dein Herz ganz besonders nach Beachtung, weil seine brachliegende Energie darauf wartet, von Dir aufs neue aktiviert zu werden! Vielleicht denkst Du jetzt, daß da ein Wunder passieren müßte, um dieses Kunststück zu vollbringen. Doch es ist genau umgekehrt:

> Wunder werden dann geschehen, wenn *Du* die Quelle
> Deiner Kraft befreist: „Ich glaube an mich selbst."

Wenn Du als *wahr* anerkennst, was *Dich* von Herzen froh und glücklich macht, identifizierst Du Dich mit Deinem wirklichen Wesen und bist *Du selbst:* Teil einer grenzenlos liebevollen, gütigen und weisen Intelligenz, der alle Kraft und alles Glück innewohnt. So oft Du die Botschaften Deines Herzens befolgst, bist Du mit dieser Intelligenz verbunden und läßt Dich von ihr führen. Nichts anderes mag durch das Sprichwort „Hilf *Dir selbst,* dann hilft Dir Gott" ausgedrückt werden.

Wenn Du Dich zur Selbstbefreiungsaktion im Sinne Deines Glücks, Deiner Kraft und Deiner Lebensfreude entschließen willst, mußt Du vorerst gewillt sein, sämtliche Unklarheiten in Deinem Leben näher anzuschauen. Was raubt Dir derzeit soviel Energie, daß Du Dich manchmal wie eine leere Batterie fühlst? Das kann ein bestimmter Lebensumstand, aber auch der Kontakt mit einer (mehreren) bestimmte(n) Person(en) sein.

Was raubt mir meine Energie?

1. Lasse ich mich in einem Übermaß beeinflussen, indem ich alles tue, was von mir verlangt wird, obwohl ich mich damit *nicht* wohl und glücklich fühle?

Beeinflussender	Ja	Nein
mein Partner (meine Partnerin)		
meine Eltern (Mutter, Vater)		
meine Kinder (Sohn, Tochter)		
mein Chef		
Freunde/Bekannte		

2. Befinde ich mich in irgendeinem Bereich meines Lebens in einer Situation, die *für mich selbst* gar nicht (mehr) stimmt?

Bereich	Ja	Nein
Partnerschaft		
Familie (Eltern, Kinder, Geschwister)		
Freundeskreis		
Arbeitsplatz/Beruf		
Freizeit		
Gesundheit, Körper, Aussehen		
Räumliche Umgebung, Wohnung, Wohnort		

Mit ein bißchen Humor wirst Du leichter verstehen, warum jedes „Ja" auf dieser Liste zum Zustand einer leeren Batterie führen muß: Du bist auf der Welt, um glücklich zu sein. Glücklich bist Du dann, wenn Du *tust,* was Dich glücklich macht. Und damit Du eines Tages wirklich tust, was *Dich* glücklich macht, gibt es in Deinem Leben sogenannte „Prüfsteine". Diese können in menschlicher Gestalt auftauchen, aber auch als Lebensumstand in Erscheinung treten.

Jedes „Ja" auf der obigen Liste ist ein solcher Prüfstein. Die einzige Aufgabe Deiner Prüfsteine ist, Dir zu zeigen, was *Dich nicht* glücklich macht! Vielleicht kommt Dir das paradox vor (was es ja auch ist). Dann gehörst Du, Gott sei Dank, nicht zu den Menschen, die zum Glücklichsein gezwungen werden müssen. Wenn Du aber Prüfsteine in Deinem Leben hast und deren einzige Botschaft (für Dich) mißverstehst, darfst Du Dich nicht wundern, wenn Deine Kräfte nachlassen und schließlich versiegen. Warum? Weil Du Dich *nur* prüfen läßt, aber *nichts tust,* was *Deinen* leidvollen Zustand verbessern könnte!

Prüfsteine sind in ihren Prüfungsmethoden überaus kreativ: Sie laugen Dich aus, kosten Dich Nerven, jagen Dich herum, jammern, quälen, unterdrücken, bevormunden, kontrollieren, verletzen oder traktieren Dich so lange, bis Du endlich bereit bist, im Sinne *Deines* Wohlgefühls zu *handeln,* und damit beginnst, Dein Leben in glücklichere Bahnen zu lenken.

Beispiel: Prüfstein Chef

Er spricht mit Dir im Befehlston, brüllt Dich an, wenn Dir ein kleiner Fehler passiert, knallt Dir regelmäßig das Arbeitspensum für eine Woche hin, will es aber in zwei Tagen erledigt sehen, und obwohl Du jeden zweiten Tag eine Nachtschicht einschiebst, wird Dein Engagement weder anerkannt noch honoriert.

Seit 15 Jahren bist Du mit Deinem Chef unglücklich.
Seit 15 Jahren duldest Du sein respektloses Verhalten.
Seit 15 Jahren fürchtest Du seine Zornausbrüche.
Seit 15 Jahren leidest Du an seiner Unfreundlichkeit.
Seit 15 Jahren schleppst Du Dich lustlos in die Firma.
Von Tag zu Tag fühlst Du Dich kraftloser.

Du wirst immer häufiger krank.
Und eines Tages brichst Du zusammen ...

Der Prüfstein hat seine Funktion erfüllt:
Er hat Dir vermittelt, was Dich *nicht* glücklich macht! Das weißt
Du jetzt. Und nun bist Du endlich bereit, etwas zu *tun,* was Dein
Leben in freudvollere Bahnen lenkt: Du sorgst dafür, daß Du wieder
gesund wirst, und suchst Dir einen neuen Arbeitsplatz mit einem
freundlichen Chef, der Deine Leistung anerkennt, und *bist endlich
glücklich!*

Lieber Single, wenn Du Deinen Lebensauftrag, „glücklich zu
sein", erfüllen willst, mußt Du den Mut aufbringen, manchmal gegen
den Strom zu schwimmen! Sei dankbar für jeden Prüfstein, weil er
Dich darauf aufmerksam macht, wo Dein Leben noch nicht stimmt,
und Dich somit auffordert, etwas zu tun, was *Dich* zufriedener, glücklicher, freier und gesünder macht. Wenn Du nicht weißt, welche
Alternative die richtige für Dich ist, brauchst Du Dir nur folgende
Frage zu stellen: „Wenn ich dieses oder jenes tue, bin ich dann von
Herzen glücklich?" Stell Dir die möglichen Folgen Deiner Handlungen in Bildern vor (natürlich sollst auch *Du* darin vorkommen!)
und spüre dabei das Gefühl in Deinem Herzen. Du wirst sehr rasch
wissen, was Du tun sollst, weil es sich gut und freudvoll anfühlt! Es
ist also wichtig für Dich, die Botschaften Deines Herzens deuten zu
lernen.
Daher will ich Dir näherbringen, wie Du Dein Gespür für die
Intelligenz Deines Herzens als Quelle Deiner Kraft noch besser
aktivieren kannst.
Erinnere Dich bitte an ein Ereignis, das Du als Schicksalsschlag
empfunden hast. Inzwischen ist einige Zeit vergangen. Heute kannst
Du die damalige Situation schon ganz anders sehen und vielleicht
sogar etwas Gutes darin finden: Weil Du ohne diese Erfahrung nicht
da wärst, wo Du heute bist. Und obwohl damals Deine Energie ziemlich verbraucht gewesen ist, hast Du dennoch wieder neue Kraft gefunden – weil die Quelle *in Dir* ist. Es muß jedoch nicht allein die
„Zeit sein, die alle Wunden heilt". Du kannst *augenblicklich* neue
Kraft schöpfen, wenn Du Dich an die Liebe erinnerst, von der Du ein
Teil bist. Zur Einstimmung will ich Dir zwei Gedanken anbieten:

„Ich höre damit auf, Menschen oder Situationen zu *ver-urteilen*, die mir Schwierigkeiten bereiten."

„Es ist wahr, daß mein Herz alle Fragen im Sinne meines Glücks zu beantworten vermag."

Wenn Du in eine schwierige Situation gerätst, widersteh bitte der Versuchung, diese beurteilen zu wollen. Was sich vor Deinen Augen abspielt, mag Dir böse oder grausam vorkommen. Dennoch kannst Du nicht wissen, welch tieferen Sinn dieses Ereignis für Dich hat. Schon ein einziger Gedanke in diese Richtung („Ich kann nicht wissen, welche Bedeutung es für mich hat") wird Deinen Glauben an etwas Weiseres, als *Du* es im Augenblick bist, entfachen. Wenn Du Dir Deine eigene Begrenztheit eingestehst: „Ich weiß nicht mehr weiter" und um ein Zeichen bittest, was Du tun sollst, beginnt sofort eine überaus liebevolle Intelligenz in Dir zu wirken, die Du auch Gott nennen kannst. Gott spricht mit Dir durch ein Gefühl in Deinem Herzen.

Wenn Du Dein Herz um Rat fragst, *ist* Dir die Antwort schon gegeben. Du fühlst Dich augenblicklich (!) wohler und ersparst Dir zum Beispiel eine 15 Jahre dauernde „Prüfung" durch Deinen Chef, um herauszufinden, was Du tun sollst: das, was *Dich* glücklich macht.

Neue Energie zu tanken ist so einfach. Du kannst es jederzeit an jedem Ort tun, weil die Quelle Deiner Energie in Deinem Herzen ist. Also hast Du sie immer mit dabei. Wenn Du traurig bist, sprich Deinen Kummer einfach aus und gestehe Dir ein, daß Du im Moment nicht weiterweißt – und Du wirst erleben, daß Deine Kummerberge augenblicklich versetzt (!) werden, weil Du Dich unglaublich erleichtert fühlst. Dein Vertrauen, daß Du eigentlich nie allein bist, wächst mit jeder Handlung, die den ersten Impuls Deines Herzens bestätigt.

Solltest Du trotzdem an seiner Richtigkeit zweifeln, bitte um ein Zeichen, das Du gut, leicht und klar deuten kannst. Sprich Deine Zweifel einfach aus und Dein Bedürfnis nach einem Beweis in der für Dich verständlichsten Form. Bedanke Dich sogleich dafür, als hättest Du das Zeichen schon erhalten.

Darf ich Dir nun eine Frage stellen und diese sogleich beantworten?

„Warum ist es für Dich als Single so wichtig, der Stimme Deines Herzens zu glauben?"

„Weil sie Dich zu dem Partner (der Partnerin) führt, mit dem Du wahrhaftig glücklich bist."

Schreibe die folgende zusammenfassende Übung oder sprich sie auf Band.

Glauben (wieder) entstehen lassen

Glaube ist Kraft und Energie.

Daher bestimmt das, woran ich glaube, mein Befinden.

Es kann sein, daß ich meinen Glauben auf Streß, Leid, Kummer oder Schmerz richte und mich daher (oft) in einem kraftlosen Zustand befinde.

Wenn dies so ist, gibt es in meinem Leben Prüfsteine.

Diese sind dazu da, mir zu *zeigen,* was mich *nicht* glücklich macht.

Daher ist es meine Aufgabe, mein Leben soweit in Ordnung zu bringen, daß es (wieder) für mich stimmt.

Es kann sein, daß ich dabei manchmal gegen den Strom schwimmen muß.

Ich bin auf der Welt, um glücklich zu sein und das zu tun, was mich von Herzen glücklich macht.

Um herauszufinden, *was* mich glücklich macht, will ich von nun an mein Herz fragen.

Die Stimme meines Herzens ist die Botschaft einer liebevollen Intelligenz, die ich auch Gott nennen kann.

Indem ich meine (zeitweise, oftmalige ...) Ratlosigkeit vor mir selbst eingestehe, übergebe ich sie der Weisheit Gottes.

Ich vertraue, daß mich das Gefühl meines Herzens dorthin führt, wo ich sein soll.

Ich bin ein Single, der es nicht länger bleiben möchte, und daher bereit, dem ersten Impuls meines Herzens zu glauben.

Die Stimme Gottes in meinem Herzen führt mich zu der Frau (zu dem Mann), mit der (dem) ich wahrhaftig glücklich bin.

Lieber Single, *Berge werden dann versetzt, wenn Dein Glaube unerschütterlich* wird. Glaubenssätze sind schöpferische Gedanken, die ein freudvolles Glücksgefühl hervorrufen:

Ich glaube an mich selbst.
Ich helfe mir selbst, denn dann hilft mir Gott.
Ich bin auf der Welt, um glücklich zu sein.
Der erste Impuls meines Herzens ist wahr.
Die Quelle meiner Kraft liegt in mir.
Mein Herz weiß die Antwort auf jede Frage.
Die Stimme meines Herzens ist die Stimme Gottes in mir.
Das Gefühl meines Herzens führt mich dorthin, wo ich sein soll.

Vertrauen

Wenn Dein Vertrauen mißbraucht worden ist, hast Du eine sehr schmerzliche Erfahrung gemacht, die Dich zutiefst verletzt hat. Fast jeder Single hat mit der Folge einer solchen Erfahrung zu tun, die besonders viel Liebe und Behutsamkeit braucht, um zu heilen. Wenn Du Dir damals, als der Vertrauensbruch geschehen ist, Deinen Schmerz nicht eingestanden hast, wartet er heute noch immer darauf, daß Du ihn eines Tages wahrnimmst – auch wenn Du Dir dessen in der Alltagshektik kaum bewußt bist.

Eine ungeheilte Wunde in Deiner Gefühlswelt bricht spätestens dann wieder auf, wenn Du eine Frau (einen Mann) kennenlernst, zu der (dem) Du Dich hingezogen fühlst. Der ganze unbewältigte Schmerz von damals kann so übermächtig auftauchen, daß Du nur einen einzigen Wunsch hast: Diesen furchtbaren Schmerz zurückzuweisen ...

Du willst auf jeden Fall verhindern, noch einmal so bitter enttäuscht zu werden. Und deshalb kann es sein, daß Du Deinen neuen Freund (Deine Freundin) plötzlich ablehnst, obwohl diese(r) völlig unschuldig an Deinem Schmerz ist! *Du* bist es, der den Schmerz von damals bis heute unterdrückt hat. Es sind die Wunden *Deiner* Vergangenheit, die Du bis heute weder beachtet noch liebevoll genug behandelt hast.

Deine fröhlich beginnenden Beziehungen enden schon nach kurzer Zeit oder verlieren sich bereits in der Anfangsphase, weil *Du* immer noch glaubst, daß glückliche Zweisamkeit unmöglich ist. Das glaubst Du deshalb, weil die Schmerzen des Vertrauensbruchs von damals immer noch Dein Glücklichsein blockieren. Deine Verletzung sitzt tief und ist Dir wahrscheinlich nicht bewußt. Doch deren Folgen, eine Kette kurzlebiger Beziehungen, mußt Du tragen, obwohl Du Dir etwas ganz anderes wünschst!

Jede weitere Enttäuschung, die Du erlebst, scheint zu bestätigen, was Du Dir damals, als der Vertrauensbruch geschehen ist, geschworen hast: „Traue keiner Frau (keinem Mann) mehr." Wenn das Dein Glaubenssatz ist (siehe Kapitel 3, „Glauben"), dann bringst *Du* jedem weiblichen (männlichen) Wesen *von vornherein* Mißtrauen entgegen, obwohl es dafür keinen (!) Anlaß gibt, und verhältst Dich Deinem Freund (Deiner Freundin) gegenüber so, daß er (sie) Dir nicht vertrauen kann! Du erfindest irgendwelche Lügengeschichten, hast allerlei Geheimnisse, die Du kurz anklingen läßt, aber niemals preisgibst, hast nebenbei (intime) Beziehungen oder klammerst Deinen Freund (Deine Freundin), dessen (deren) Vorteile Du genießt, aus bestimmten Bereichen Deines Lebens einfach aus.

Lieber männlicher und weiblicher Single, es ist nicht mein Anliegen, Dein Verhalten zu beurteilen oder Dein verletztes Innenleben aufzuwühlen.

<u>Ich will dir vielmehr bewußt machen, daß der Werdegang Deiner Beziehungen negativ beeinflußt wird, wenn *Du* eine ungeheilte Vertrauenswunde mit Dir herumschleppst.</u>

Das, was Du bis jetzt erlebt hast – Kurzbeziehungen, flüchtige Begegnungen und Enttäuschungen und so weiter – ist nur das Zeugnis *Deiner* nicht geheilten Innenwelt. Weil Du aber ein Single bist, der es nicht länger bleiben möchte, kannst Du einen Entschluß fassen, der den Teufelskreis zwischen Hoffnung und Verzweiflung endlich unterbricht:

„Der Mangel an Vertrauen ist *in mir,* und deshalb will ich alles tun, um ihn aufzuheben."

Wenn Du aufrichtig dazu bereit bist, etwas *für Dich selbst* zu tun, wird Dich das Leben reichlich dafür belohnen und Dir viele Chancen schicken, neues Vertrauen zu finden. Willst Du Dich darauf einstimmen?

Fantasiegeschichte von Liebe, Mut und Vertrauen

Da ist eine wunderschöne Wiese. Ein blühendes Feld von bunten Blumen und Gräsern, ringsherum Berge, deren schneebedeckte Gipfel hell aufleuchten. Etwas weiter vorn ein See, in dem sich das Licht der Sonne in einem herrlichen Schauspiel widerspiegelt. Unendlicher Friede ist an diesem Ort. Alles ist still. Nur das Summen der Bienen und das Zwitschern der Vögel in den Bäumen unterbricht diese wunderbare Ruhe hier. Auf dieser Wiese, so sagt man, soll eine ganz seltene Blume wachsen. Und derjenige, der sie in voller Blüte findet, wird reichlichst dafür belohnt. Im bunten Allerlei von Glöckchen, Sternen, Kelchen und Ranken ist die Suche nach der begehrten Blume gar nicht so einfach. Vor allem, weil es bis jetzt noch keinem einzigen gelungen ist, die Blüte genau zu beschreiben, denn niemand hat sie je gesehen. Viele haben hier schon ihr Glück versucht, doch leider ohne Erfolg. Auf dem höchsten Berggipfel sitzend, jedoch unsichtbar für menschliche Augen, beobachtet ein Engel schon viele Jahre das Geschehen hier. Etwas erstaunt über die Tolpatschigkeit der Blumensucher grübelt er unermüdlich über etwas nach, das ihn sehr traurig stimmt: „Warum wagt sich kein einziger in die Nähe des Felsbrockens da vorn rechts? Warum sucht dort keiner?"

Von hier oben kann der Engel nämlich ganz deutlich sehen, daß dort, im Schatten des Felsens, besagte Blume darum fleht, es möge sich endlich jemand zu ihr wagen und diesen riesigen Felsen wegschaffen, der ihr das Sonnenlicht schon so lange verwehrt.

„Wenn nicht bald ein Wunder geschieht, muß ich sterben, denn ohne Wärme und Licht kann ich nicht wachsen", denkt das zarte Pflänzchen verzweifelt.

Worauf der Felsblock sofort seine Rechte kundtut: „Ich rücke hier nicht weg. Du mußt Dich damit begnügen, ein Schattendasein zu führen."

Enttäuscht und frierend wie schon oft zuvor fügt sich die Blume in ihr trauriges Schicksal, nicht blühen zu dürfen.

„Ich mag das nicht mehr mit ansehen", denkt der Engel, „jetzt muß etwas geschehen."

Und siehe da, ein junger Mann steuert geradewegs auf den Felsblock zu – fest entschlossen und mit Feuer im Herzen, die seltene Blume zu finden.

„Woran werde ich sie erkennen?" Kaum gedacht, empfängt er die Antwort des vor Freude hüpfenden Engels: „An ihrer Zartheit!"

Und wie vom Himmel gelenkt, erblickt der junge Mann augenblicklich das Ziel seiner Suche. Im Schatten des riesigen Steines entdeckt er etwas winziges Grünes, kaum zu sehen im Dickicht dieser bunten Blütenpracht hier.

„Ich brauche Deine Hilfe! Bitte schaffe den Felsblock weg!" bemüht sich die Vertrauensblume verständlich zu machen. Doch die imposante Größe des Hindernisses jagt dem Helden einen gehörigen Schrecken ein: „Das schaffe ich nie …"

Nahe daran, zu resignieren, berührt die flehentliche Bitte der Blume dennoch sein Herz: „Laß mich nicht im Stich. Ich würde so gerne wachsen und Dir meine wunderschöne Blüte zeigen."

„Was soll ich bloß tun?" fragt sich der junge Mann selbst und richtet seinen Blick zum Himmel. Dem Engel bleibt das Dilemma des Blumenretters nicht verborgen. Und weil er auch dessen Herzenswunsch, die Blume zu befreien, wahrnimmt, beschließt er, dem jungen Helden zu helfen.

„Du mußt den Stein nur lieb haben", schickt er voll Freude einen Gedankenblitz hinunter als Zeichen seiner Unterstützung. Und dann geschieht plötzlich ein Wunder: Von der liebevollen Berührung eines menschlichen Wesens erschüttert, beginnt der Felsen plötzlich zu weinen: „Ich war auch einmal eine Vertrauensblume, doch ein böser Zauber hat mich vor langer Zeit in einen Stein verwandelt."

Je mehr Tränen wegfließen, um so durchsichtiger und kleiner wird seine Gestalt, bis er schließlich ganz verschwunden ist. Staunend wie ein kleines Kind, doch erfüllt von Liebe und Mitgefühl bedankt sich der Held für dieses Wunder.

„Danke, danke!" ruft die Blume und freut sich über das warme Sonnenlicht, das sie so lange entbehren mußte.

„Danke junger Mann, für Deinen Mut und Dein Vertrauen", freut sich ebenso der Engel auf seinem Beobachtungsposten, „Du wirst reich dafür belohnt."

In diesem Augenblick geschieht schon wieder ein Wunder. Eine weiße Blüte von unglaublicher Schönheit entfaltet sich vor den Augen des Helden. Trotz ihrer zarten Lieblichkeit strahlt sie eine ganz besondere Art von Stärke aus, die er nie zuvor in solcher Intensität gespürt hatte.

„Von jetzt an wird Dich diese Stärke überall hin begleiten. Das ist Deine Belohnung", empfängt er überglücklich und dankbar die Botschaft des Engels. Ringsherum ist alles still. Nur das Summen der Bienen und das Zwitschern der Vögel in den Bäumen ist zu hören. Die Strahlen der Sonne tauchen die Wiese in glänzendes Licht ...

Lieber Single, Vertrauen fällt Dir leider nicht von selbst in den Schoß. Vor allem dann nicht, wenn Du dort einen wunden Punkt hast. Deine Entschlossenheit, den Felsblock in Deinem Innersten aufzulösen, vorausgesetzt, führt Dein Weg zu neuem Vertrauen in einen Partner über die Förderung *Deines Selbstvertrauens*. Wahrscheinlich hat es einen argen Knacks davongetragen, als Du von Deinem früheren Gefährten so bitter enttäuscht worden bist. Falls Du aber hoffst, ein anderer Mensch könne Dein angeschlagenes Selbstvertrauen wieder gut und stark machen, tut es mir sehr leid, wenn Du wieder enttäuscht wirst.

<u>Der einzige Mensch, der Deinem Selbstvertrauen zu neuem Leben verhelfen kann, bist *Du selbst.*</u>

Was *Du* Dir wünschst, ist nicht nur Selbstvertrauen, sondern Selbstsicherheit. Diese Selbstsicherheit entsteht aus *Deiner* Bereitwilligkeit, *Dir selbst zu vertrauen.* Das bedeutet, alles für *wahr* zu halten, was Dich selbst betrifft:

103

Deine Gedanken
über Dich selbst,
über Deine Lebensumstände,
über andere Menschen.

Deine Gefühle
die Du empfindest,
in bestimmten Situationen,
im Beisein von bestimmten Menschen.

Deine Emotionen
die *Dir* hochkommen,
in einer bestimmten Situation,
im Beisein von bestimmten Menschen.

Deine Glaubenssätze ...
zu bestimmten Themen.

Dein Verhalten ...
Dir selbst gegenüber,
in bestimmten Situationen,
im Beisein von bestimmten Menschen.

Der erste Schritt:

Wenn Du Dir die Mühe machst, über diese Punkte nachzudenken und alles aufzuschreiben, was Dir dazu einfällt, hast Du eine ausführliche Beschreibung Deines derzeitigen Zustands – so, wie Du bist:

„Aha, so bin ich jetzt:
so (!) denke ich also über mich selbst und über andere,
das (!) fühle ich in dieser oder jener Situation oder im Beisein anderer,
hier (!) habe ich einen Schwachpunkt, weil ich mich ärgere oder wütend werde,
das (!) sind meine Glaubenssätze und
so (!) gehe ich mit mir selbst um, verhalte ich mich in bestimmten Situationen oder anderen gegenüber."

All das für *wahr* zu halten, weil es *Dich selbst* betrifft, bedeutet aber nicht, daß Du bis an Dein Lebensende so bleiben mußt! Es bedeutet nur, daß Du Dich jetzt einmal so akzeptieren sollst, wie Du derzeit bist. Du förderst nämlich jedesmal Dein Selbstvertrauen, wenn Du *Deiner* Wahrnehmung traust und Dir auch zutraust, aus *Deinem* Denken und Fühlen heraus zu handeln.

Alles, was Dich selbst betrifft (Deine Gedanken, Gefühle, Emotionen, Deinen Glauben und Dein Verhalten) ist in diesem Augenblick *wahr* und somit auch Dein Vertrauen wert.

Affirmation: Ich traue *meiner* Wahrnehmung in jedem Augenblick, da sie *meiner* Wahrheit entspricht.

Der zweite Schritt:

Du hast Dich entschlossen, ab jetzt nur noch *Deinen* Gedanken und Empfindungen zu trauen, weil Du nicht länger so sein möchtest, wie andere es von Dir erwarten. Jetzt mußt Du lernen, aus *Deiner* Sichtweise heraus zu *handeln*, wenn möglich gleich in der aktuellen Situation. Jede noch so kleine, spontane Aktion bestätigt *Deine* innere Wahrheit und wird Dir ein gutes, stimmiges Gefühl bescheren, das Deine Selbstsicherheit aufs beste fördert.

Ein Beispiel:

Ausgangsposition

Deine Freundin (Partnerin) wünscht sich einen Urlaub mit Dir zusammen. Du hast Deinen für diese Saison schon verplant, also fährt sie ohne Dich weg. Aus *Deiner* Wahrnehmung heraus (ungeheilte Vertrauenswunde) könnte nun die Tatsache, daß Deine Freundin allein ihren Urlaub verbringt, so aussehen:

Du denkst:	„Soll sie doch fahren, die dumme Ziege"
	„Die läßt mich also auch im Stich"
	„Sie sucht sich bestimmt einen anderen"
Du spürst:	Angst

| *Deine* Emotionen sind: | Ärger, Zorn, Trotz |
| *Du* bist davon überzeugt (Glaubenssatz): | „Zeige niemals einer Frau, wie es wirklich in Dir aussieht." |

All das zusammen ist *Deine* derzeitige Wahrheit. Wenn Du diese bestätigen willst, müßtest Du folgendes tun:

Nachdem Du negativ denkst, Angst empfindest, Emotionen hast und glaubst, daß Du Dich keiner Frau (nicht einmal der, die Du magst!) anvertrauen kannst, *bist Du ehrlich zu Dir selbst,* wenn Du Deiner Partnerin aufrichtig mitteilst, daß Eure Beziehung *für Dich* nicht stimmt, weil Du aus *Deiner* momentanen Wahrheit heraus nicht gut damit umgehen kannst. Ein solch ehrliches Bekenntnis stärkt Dein Selbstvertrauen enorm.

Affirmation: Es gelingt mir immer besser, aus *meiner* Wahrheit heraus zu handeln.

Der dritte Schritt:

Nachdem Du lange genug Deiner Wahrnehmung vertraut hast, kann es eines Tages sein, daß Du mit den *Folgen* Deiner Handlungen nicht mehr zufrieden bist: Du hast Dein Selbstvertrauen wiedergefunden und fühlst Dich allen Situationen gewachsen. Trotzdem bist Du noch immer ein Single, der es im Grunde seines Herzens nicht sein möchte.

An diesem Punkt angelangt, kannst Du Dir eine Frage stellen:

„*Wo* kann *ich* etwas verändern, damit ich noch bessere, freudvollere Wirkungen erlebe?"

Eine solche Veränderung herbeizuzaubern, ist nur dann möglich, wenn *Du* Dein Denken in eine bessere, freudvollere Richtung lenkst und Deine alten Überzeugungen aufgibst, *bevor* Du aktiv wirst. Erinnerst Du Dich noch an das Beispiel vom Tisch? Der Tisch entsteht ja auch *zuerst* als Idee in Deinem Geist, bevor er als wirklicher Tisch vor Deinen Augen ist!

Um beim obigen Beispiel zu bleiben, müßtest Du also

Dein negatives Denken verändern:
„Ich habe das Recht auf Erholung und meine Partnerin auch."
„Ich sorge dafür, daß wir den nächsten Urlaub gemeinsam verbringen."
„Ich vertraue meiner Partnerin so wie mir selbst."

Deinen Glaubenssatz verwandeln:
„Wer liebt, hat nichts zu verbergen."
„Wer liebt, zeigt sich so, wie er ist."

Wenn Du diese Ideen beharrlich und konsequent wiederholst, wird sich nach und nach eine neue Art von Selbstvertrauen in Dir ausbreiten: Es ist eine Sicherheit, die Dir noch viel mehr zugute kommen wird, als die, die Du vorher hattest. Du hast jetzt eine positive, liebevollere Einstellung und wirst daher viele erfreuliche Wirkungen erleben!

Mit der folgenden Übung (öfter lesen, schreiben oder auf Band sprechen) will ich Dir ein paar Geistesblitze anbieten, die den verzauberten Felsen in Deinem Innersten auflösen sollen, damit *Deine* Vertrauensblume wieder von Wärme und Licht umgeben ist:

(Selbst-)Vertrauen bilden

Ich bin ein Single, der es nicht länger bleiben möchte.

Daher bin ich entschlossen, mein mangelndes Vertrauen in einen Mann (eine Frau) wiederherzustellen.

Damit mir das gelingt, will ich vorerst lernen, mir selbst zu vertrauen.

Ich lasse daher in jeder Situation meine Gedanken, meine Gefühle, meine Emotionen und meine Glaubenssätze als wahr gelten, da sie *meiner* derzeitigen Wahrheit entsprechen.

Ich übe täglich, aus meiner Wahrheit heraus im Augenblick zu handeln.

Je öfter ich das tue, desto größer wird meine Selbstsicherheit.

An den Folgen meiner Handlungen erkenne ich, ob ich das Richtige getan habe. Dann fühle ich mich wohl.

Wenn dies nicht so ist, will ich anders handeln lernen.

Damit mir dies ehrlich und aufrichtig gelingt, bin ich bereit, mein Denken und meine Glaubenssätze zu verwandeln.

Ich denke positiv und glaube an das Gute.

Daher gelingt es mir immer besser, Ereignisse in meinem Leben positiv zu sehen und als gut für mich anzuerkennen.

Meine innere Wahrheit verwandelt sich in etwas Schönes und Gutes.

Ich traue meiner neuen Wahrnehmung von Tag zu Tag mehr.

Es gelingt mir immer besser, sanft und liebevoll zu handeln.

Je öfter ich das tue, desto größer wird meine innere Sicherheit im Sinne liebevollen Miteinanders.

Mein Vertrauen in mich selbst und in die Wahrheit meines Herzens hat zur Folge, daß ich dieselbe Wahrheit im Herzen eines Mannes (einer Frau) zu erkennen vermag.

Daher fällt es mir leicht, ihm (ihr) im gleichen Maße zu vertrauen, wie mir selbst. Und dafür bin ich dankbar.

Vergeben ist Loslassen

Gibt es in Deinem Leben einen Menschen, dem Du nicht verzeihen kannst? Wenn ja, soll Dich dieses Kapitel dazu ermuntern, Dich dieses Menschen noch einmal anzunehmen. Nicht, um ihm vorzuwerfen, wie abscheulich er sich benommen hat, und auch nicht, damit Du Deine Meinung los wirst oder Deine Abneigung demonstrierst. Das Thema, weswegen Du Dich noch einmal mit besagtem menschlichen Wesen beschäftigen sollst, betrifft ausschließlich *Dich selbst*. Um Dein Thema möglichst klar und einfach auszudrücken, will ich es in einer Frage formulieren:

„Will *ich* noch länger mit einer Last im Herzen leben und mir damit viele Stunden vergällen, die ich viel schöner (kreativer, friedlicher, glücklicher ...) verbringen könnte?"

Lieber Single, solange *Du* einem anderen (zum Beispiel Deinem/

Deiner früheren Partner/Partnerin) nicht vergeben hast, was er (sie) Dir „angetan" hat, schleppst Du eine unsichtbare Last mit Dir herum, die sich im wahrsten Sinne des Wortes „belastend" auf Dein Leben auswirkt. Vieles wird zur Last, was Dir eigentlich Glück und Freude bescheren könnte. Je mehr Groll (gegen dieses fürchterliche Scheusal!) sich in Dir angesammelt und aufgestaut hat, desto schwerer wiegt die Last. Diese kann nur kleiner werden, wenn *Du* Dein Herz erleichterst und es vom Ballast *Deines* Grolls befreist.

Vielleicht liegt Dein Frust mit besagtem Scheusal schon viele Jahre zurück. Du hast längst die notwendigen Konsequenzen gezogen: Deine Lebensumstände verändert, den Freundeskreis gewechselt und neue Interessen entwickelt. Im Zuge Deines neuen Lebens hast Du allmählich Deinen Kummer über das, was Dir einstmals angetan worden ist, vergessen. Langsam ist Deine Lebensfreude wieder gestiegen, und Du bist auch heute noch der festen Überzeugung, dank Deines Willens und Deiner Vernunft alles bestens im Griff zu haben. Trotzdem gibt es in Deinem Single-Dasein eine Tatsache, die Du nicht verstehen kannst: Du lernst immer wieder Männer (Frauen) kennen, die Dir dasselbe „antun" wie dieses Scheusal – damals vor vielen Jahren ...

Vielleicht gelingt es mir mit folgender Geschichte, Dir verständlich zu machen, warum ausgerechnet *Dir* das passiert:

Eine Geschichte vom Verzeihen

Die Vorstandssitzung der obersten Engel hat soeben begonnen. Für eine beachtliche Anzahl heißer Themen muß unbedingt eine Lösung gefunden werden.

„Es ist eine traurige Tatsache", beginnt der Vorsitzende sein größtes Anliegen zu erläutern, „daß noch nicht alle Menschen auf der Erde verzeihen können und – wie wir alle hier wissen – kein Erdenwesen frei und glücklich sein kann, wenn die Fähigkeit zu vergeben nicht von jedem einzelnen entwickelt wird."

Etwas weiter hinten amüsieren sich zwei neue Mitglieder, weil der Vorsitzende pausenlos an seinen Flügeln zupft, um die Dringlichkeit der heutigen Tagesordnung zu unterstreichen: „Ich möchte daher mit den schwierigsten Fällen, ähh ... ich korrigiere, mit unseren Sorgenkindern beginnen, die uns allen ganz besonders am Herzen liegen:

Da ist Frau C. Ein ziemlich komplizierter Fall. Heute immer noch Single, doch mit dem Herzenswunsch, die einzige Frau des Mannes zu sein, den sie liebt. Frau C. hat nämlich als kleines Mädchen miterlebt, daß ihr Vater ihrer Mutter untreu war, also schon sehr früh erfahren, welch furchtbarer Schmerz es ist, betrogen zu werden. Deshalb mußte es so kommen, daß sich Frau C. in einen verheirateten Mann verliebte." Die verzweifelte Miene und das nervöse Flügelschütteln des Vorsitzenden drückt echte Besorgnis aus. „Mit 27 wurde sie ledige Mutter eines Sohnes und gab insgesamt acht Jahre lang ihren Glauben nicht auf, daß ihr der geliebte Mann eines Tages treu sein und sie heiraten würde. Das war nicht so, wie wir alle wissen", schließt der vorsitzende Engel seine einführenden Worte ab. „Die Gründe hierfür betreffen nicht mehr das Schicksal der Frau C."

Von hinten links kommt eine Wortmeldung: „Wenn uns allen der Herzenswunsch von Frau C. so nahe geht, warum wurde ihr dann kein freier Mann geschickt?"

Etwas entrüstet über die Naivität des Fragenden setzt der Vorsitzende seine Ausführungen fort: „Frau C. muß in erster Linie zu vergeben und loszulassen lernen, lieber Kollege. Immerhin zeigten sich bereits Erfolge, obschon sie 14 Jahre gebraucht hat", die Stimme wird etwas lauter, „den Vater ihres Sohnes auch innerlich loszulassen! Sie sehen also, daß die Fähigkeit zu vergeben bei Frau C. noch nicht so gefestigt ist, wie es sein soll."

„Was geschieht jetzt mit ihr?" rufen alle gleichzeitig im Chor, worauf der sorgfältig durchdachte Plan dargestellt wird: „Im Fall der Frau C. müssen einige Fakten zusätzlich berücksichtigt werden, was die Sache noch etwas komplizierter macht." Immer mehr Engel beginnen, vor lauter Ungeduld an ihren Flügeln zu kratzen.

„Frau C. hat also einerseits immer noch den Wunsch nach einem Partner, der treu ist. Ihr Herzenstraum ist es, aus Liebe zu heiraten. Doch ist da noch ein Hauch von Angst, sie könne als Ehefrau genauso betrogen werden, wie ihre Mutter. Dann gibt es noch Spuren eines Verhaltensmusters", die Liste scheint keine Ende zu nehmen, „weil Frau C. manchmal denkt, sie würde keinen Mann für sich

allein verdienen. Und schließlich darf nicht übersehen werden, daß
sie unerschütterlich an Liebe auf den ersten Blick glaubt!"

Einige Zeilen des Konzepts überfliegt der Vorsitzende, um Zeit
einzusparen. Schließlich ist Frau C. nicht der einzige Fall von Dring-
lichkeit. „Frau C. wird also einem Mann begegnen, der alle vorhin
aufgezeigten Kriterien für sie erfüllt. Sie wird sich auf den ersten
Blick in ihn verlieben. Er wird ihren Herzenswunsch bestätigen,
doch genauso ihre Angst, betrogen zu werden. Frau C. wird auch
erleben, daß sie diesen Mann nicht für sich allein hat, weil da noch
eine Person ist, die seine Hilfe braucht. Und schließlich wird dieser
Mann das aufrichtige Bemühen der Frau C., Vergebung zu lernen ..."
ein zufriedenes Lächeln huscht über sein Antlitz, „... aufs beste för-
dern."

Wenn Dich meine Geschichte ein bißchen berührt hat, wird es
Dir leichter gelingen, den einzigen Grund dafür zu erahnen, warum
Du mit verschiedenen Männern (Frauen) immer wieder dasselbe
erlebst:

<u>Damit *Du* vergibst – und *frei wirst* von einer Last, die Du
vielleicht schon als Kind mitgetragen hast, ohne es zu
wissen.</u>

Wenn Du Deinem geliebten Scheusal alles Schreckliche verzeihst
und nur das Gute von ihm in Deinem Herzen bewahrst, vergibst
(= weggeben) Du stellvertretend gleich mehrere Lasten auf einmal,
so daß Dir unglaublich leichter ums Herz wird:

✗ Deine eigene Last, weil Du dann keinen Groll mehr empfindest.

✗ Die Last des Scheusals, weil es sich dann nicht mehr schuldig
(an Deinem Schmerz) zu fühlen braucht.

✗ Und auch die Last, die vielleicht Deine Mutter oder Dein Vater
schon von deren Eltern übernommen haben.

Es ist eine erwiesene Tatsache, daß in Familienverbänden bestimmte Themen von Generation zu Generation weitergegeben werden, bis sich ein Familienmitglied (wenn auch unbewußt) zur Verfügung stellt, das bislang un-heile, leid-volle Thema in dieser Familie
(im Fall der Frau C.: Liebe ist Treue und nicht Untreue) zu erlösen:
Das bedeutet, dieses Thema selbst zu erleben (als „Täter" wie als

„Opfer") und den begleitenden Frust oder Schmerz zu erfahren, um schließlich aus einem tiefen Verständnis heraus jenes Mitgefühl für alle daran Beteiligten (einschließlich sich selbst) zu entwickeln, das die Voraussetzung für Vergebung ist.

Vergebung ist etwas, das nur aus einem Gefühl der Liebe heraus geschehen kann und ist die notwendige *innere Konsequenz* einer Entscheidung, die Du (wahrscheinlich schon viel früher) mit Deinem Verstand getroffen hast: „Ich trenne mich von diesem Menschen, weil ich es nicht mehr aushalte, dauernd an meinen wundesten Punkt erinnert zu werden."

Wenn kein Lächeln mehr
zu sehen ist
und sich traurige, ratlose Augen
im Nichts verlieren –
dann wird es Zeit zu gehen.
Wenn die Liebe

dem Ego zum Opfer fällt
und aus verzweifelten Tränen
ein Überlebenskampf wird –
dann wird es Zeit zu gehen.

Wenn sich die Straße des WIR
in zwei Wege teilt
und man trennt sie
in zwei ICH –
dann war es Zeit zu gehen ...

Trennungen geschehen nicht von heute auf morgen, sondern sind meistens das Endprodukt einer Kette von Frustration, Kummer und Leid. Viele Paare bleiben trotzdem zusammen und setzen sich größten Belastungen aus. Andere wieder wechseln den Partner schon bei der kleinsten Unstimmigkeit, um mit dem nächsten wieder vor einer ähnlichen Aufgabe zu stehen. Doch hinter all diesen Partnerproblemen verbirgt sich dieselbe Sehnsucht: Mit einem anderen menschlichen Wesen von Herzen übereinzustimmen. Ist aber Dein

Herz in irgendeinem Winkel noch von Groll besetzt, kann es nur teilweise funktionieren, was die Liebe betrifft. Und deshalb war es Dir bis jetzt nicht möglich, einem anderen menschlichen Wesen von *ganzem* Herzen zugetan zu sein.

Mit einer Last von früher bist *Du* nicht frei genug, dem Mann (der Frau) zu begegnen, mit dem (der) Du herzensmäßig übereinstimmst. Und daher ist es notwendig, daß Du alles Negative von früher losläßt, also *weggibst*. Das ist einfacher, als Du glaubst: *Denke nicht mehr daran!*

Mit der folgenden Formel kannst Du Dich von allen Lasten befreien. Mag sein, daß sie Dir wie ein Zaubertrick vorkommt. Dennoch wird sie ihre Wirkung nicht verfehlen:

Wenn *Du* etwas Bestimmtes *gibst*, bekommst Du das gleiche im selben Augenblick geschenkt.

Das bedeutet, daß *Du* augenblicklich *genau dasselbe* empfindest, was Du Deinem Gegenüber entgegengebracht hast.

Wenn es also in Deinem Leben noch jemanden gibt, an den Du nicht ohne Groll (Haß, Ärger, Wut, Schmerz ...) denken kannst, hast Du bis heute keine *innere* Konsequenz Deiner äußeren „Trennungsmaßnahmen" gezogen. Die innere Konsequenz einer Trennung ist die Befreiung Deines Herzens vom Groll gegen diese Person. Wenn Du Dich entschließen willst, die obige Zauberformel anzuwenden, wird das Wunder geschehen, auf das Du schon so lange hoffst: Frieden zu empfinden und dafür dankbar zu sein.

Nachstehend will ich Dir *eine* von vielen Möglichkeiten anbieten, die Zauberformel anzuwenden:

Ich gebe Dich jetzt frei
und danke Dir für das Schöne,
das wir gemeinsam erlebt haben.
Ab jetzt will ich nur das Gute von Dir
in mir bewahren.

Kommt dennoch ein anderer Gedanke über Dich
in mein Bewußtsein,
weise ich ihn sanft und liebevoll zurück
und spreche meine Zauberformel.

Wenn Du die ersten fünf Zeilen so aufrichtig wie möglich täglich mehrmals wiederholst, wirst Du selbst empfinden, was Du gegeben hast: Freiheit und Frieden. Deine Bereitwilligkeit zu vergeben ist also nichts anderes als Dein Entschluß, das Negative ein für alle Mal zu vergessen und den Groll für immer wegzugeben.

Ist es nicht wunderbar, daß *Du selbst* etwas für *Deinen* Frieden und für *Deine* Freiheit *tun* kannst? Du *mußt* nicht länger eine Last tragen, die *Dein* Glücklichsein verhindert!

Je öfter Du die obige Zauberformel gebrauchst, desto einfacher wird es für Dich, glücklich zu sein.

Ein paar Beispiele:

Für mich ist Glück

- ❤ die **Freiheit**, zu sein wie ich bin und zu tun, was ich möchte. Also *gebe* ich allen (auch meinem geliebten Scheusal!) die Freiheit, so zu sein, wie es ist, und zu tun, was es möchte, und *bin* dadurch selbst *frei*.

- ❤ **Ruhe und Frieden**. Also *gebe* ich allen Menschen (auch den Prüfsteinen!) in meinem Umfeld Ruhe und Frieden, indem ich auf Attacken weder reagiere, noch daran denke, und *habe* damit innere *Ruhe* und *Frieden*.

- ❤ **Wärme und Geborgenheit** mit einem Partner (einer Partnerin) zu erleben. Also *schenke* ich ihm (ihr) Wärme und Geborgenheit so gut, wie ich kann, und *fühle* mich noch im selben Augenblick *geborgen*.

- ❤ **loslassen** können. Also *gebe* ich mein inneres Festhalten auf, indem ich meinen Groll in Verständnis, Mitgefühl und Liebe verwandle, und *fühle* mich augenblicklich von meiner Last *befreit*.

Lieber Single, ich habe in diesem Buch schon öfter darauf hingewiesen, daß sich in Deinem Leben nur dann etwas verändern kann, wenn *Du* eine neue (gute, bessere) Idee entwickelst und Deine Idee verwirklichst. Das bedeutet, daß Du nur noch *im Sinne* Deiner neuen Gedanken *handelst.*

Die Gründe, warum es eine gute Idee ist, Deinem Prüfstein zu vergeben, habe ich Dir hoffentlich verständlich gemacht. Hier ist nochmals die Quintessenz:

> „Weil ich ein Single bin, der sich von *ganzem* Herzen einen Partner (eine Partnerin) wünscht, muß mein Herz *ganz frei* werden von alten Lasten. Frei bin ich dann, wenn ich dem Menschen, der mir so Furchtbares angetan hat, die Freiheit *gebe.* Das bedeutet, *alles* Negative mit ihm ein für alle Mal zu vergessen, indem ich mich nicht mehr damit beschäftige. Ich will nur das Gute von ihm in mir bewahren."

Um diese Idee zu realisieren und damit eine neue Lebenssituation herbeizuzaubern, mußt Du im Sinne Deines Gedankens aktiv werden:

Suche Deinen Prüfstein auf und reiche ihm Deine Hand als Geste des Verzeihens. Teile ihm Deine neue Einstellung einfach, klar und aufrichtig mit: *„Ich* bin mit Dir im Frieden und trage Dir nichts nach." Falls Du an einem näheren Kontakt nicht mehr interessiert bist, sprich es aus: „Ich möchte aber trotzdem keinen näheren Kontakt." Genauso gut kannst Du die Person anrufen oder ihr schreiben, was Du zu sagen hast. Es kommt nicht so sehr darauf an, welche Kontaktmöglichkeit Du wählst, sondern vielmehr darauf, Deine versöhnlichen Gedanken *konkret auszudrücken.* Gibt es dafür keine Möglichkeit mehr, weil die betreffende Person schon verstorben ist, sprich einfach Deine Worte des Friedens aus, wie sie von selbst entstehen.

Wie schon vom Vorsitzenden der Engelversammlung erwähnt, hat Frau C. 14 Jahre (!) gebraucht, um dem Vater ihres Sohnes zu vergeben. Weil dieses Erlebnis mein Leben entscheidend verändert hat, gebe ich es in Dankbarkeit an Dich weiter:

Loslassen

14 Jahre nach der „äußeren" Trennung vom Vater meines Soh-
nes während eines Seminars auf der Riesner-Alm:

All meine Gedanken sind bei Peter, es ist, als wären die Strahlen
meines Bewußtseins gebündelt wie im Licht eines Scheinwerfers auf
ihn gerichtet. Ich schlendere langsam über eine Almwiese – die
Sonne läßt das Gras hellgrün aufleuchten, ein herrliches Bild un-
berührter Natur. Weit und breit ist kein Mensch zu sehen, als hätten
die anderen meine stumme Bitte nach Einsamkeit aufgefangen. Ich
habe Papier und Schreibstift mitgenommen in der Hoffnung, die
richtigen Worte in einem Brief an Peter formulieren zu können. Es
scheint mir die beste Lösung zu sein, an ihn zu schreiben. 14 Jahre
sind inzwischen vergangen, seit wir uns getrennt haben. Kein ein-
ziger Gedanke zeigt mir die Absurdität der Situation: Zwischen da-
mals und heute ist so viel geschehen, hat sich vieles verändert –
und doch wird für mich der Abschied von Peter noch einmal zur
Wirklichkeit.

Ich habe den Waldrand erreicht und bin froh darüber. Im Schat-
ten der Bäume fühle ich mich geborgen und lasse meinem Gefühl
freien Lauf. Irgendwo sinke ich auf den weichen Moosboden, um-
geben von Heidelbeerstauden und Unterholz. Vor mir liegt ein steiler
Abhang, doch ich habe keine Angst. Ich sehe den blauen Himmel
durch die Äste alter Fichten schimmern und fühle die warme Sonne
auf meinem Rücken. Hier bin ich sicher. Die Natur gibt mir Schutz
und Kraft, noch einmal jene Seelenqual durchzustehen, die man
Abschied nennt. Ich weiß jetzt, daß ich Peter endgültig loslassen
muß und daß ich ihm vergeben will, was er mir „angetan" hat.
Noch im selben Augenblick begreife ich plötzlich, daß nicht nur ich
dadurch frei werde, sondern auch er! Ich sehe tatsächlich silberne
Fäden zwischen den Menschen, die miteinander verflochten sind
wie ein Spinnennetz. Ich weiß auch, daß diese Verbindungen
normalerweise nicht sichtbar sind. Sie bestehen auf einer höheren
Ebene in nicht materieller Form. Es wird mir bewußt, daß ich den
Vater meines Sohnes jahrelang mit einem unsichtbaren Band fest-
gehalten habe.

Ich sehe sein vertrautes, liebes Gesicht deutlich vor mir, fühle

mich ihm ganz nahe und beginne mit ihm auf eine völlig neue Art zu
sprechen. Ich schreibe alles auf, was aus mir herausbricht:
  „Ich danke Dir, daß Du bereit warst, der Vater meines Sohnes
zu sein. Du hast Dich aus Liebe dafür zur Verfügung gestellt, damit
sich mein größter Wunsch nach einem gemeinsamen Kind verwirk-
lichen konnte. Ich vergebe Dir alles, was mit unserer Trennung ver-
bunden war. Ich bin für Dich da, wenn Du mich brauchst, und lasse
Dich jetzt los."
  Diese Worte bewegen mein ganzes Sein. Eine Welle der Liebe
und Dankbarkeit durchflutet mein Herz. Tränen fließen über mein
Gesicht – und es beginnt plötzlich zu regnen(!), obwohl nur in der
Ferne ein paar winzige, weiße Wölkchen zu sehen sind. Auf dem
Blatt Papier vermischen sich Tränen und Regentropfen. Meine
Schrift verzerrt sich zu unleserlichen Buchstaben – und ich weiß
plötzlich, daß ich diesen Brief gar nicht abzuschicken brauche! In
mir ist die absolute Gewißheit, daß Peter meine Worte auch so emp-
fangen wird. Ich bleibe noch eine Weile sitzen, der Regen hat auf-
gehört, und ich fühle mich wohl – ich fühle mich unsagbar wohl
und befreit. Wieviel Kummer wäre mir erspart geblieben, hätte ich
früher erkannt, daß ich nicht das Recht habe, einen Menschen fest-
zuhalten. Auf dem Rückweg zum Berghaus bedanke ich mich innig
für dieses Erlebnis.

Allein leben können

Vielleicht bist Du sehr plötzlich ins Single-Dasein geraten, weil
Du weder Deine Scheidung noch den Schicksalsschlag erwartet hast,
der vielleicht eingetroffen ist. Doch auch Dein gut überlegter und
somit gereifter Entschluß, Dich von Deinem Mann (Deiner Frau)
zu trennen, hat Dich vor dieselbe Tatsache gestellt: *Ich bin Single!*
Psychisch überfordert, von Ängsten geplagt und noch dazu mit exi-
stentiellen Problemen konfrontiert, konntest Du die ersten Tage
Deines Alleinseins nur mühsam bewältigen. Wie kommst Du in
dieser ungewohnten Situation zu einer positiven Einstellung? Und
woher nimmst Du die Kraft, um die vielen Probleme zu lösen?

Mag Dir das Leben auch hart mitgespielt haben, Du hast ein Werkzeug, das Dir hilft, diese schwierige Phase zu meistern: *Deine Willenskraft.*

Dieser Abschnitt soll Dich ermuntern, Deinen Willen für das jetzt notwendige Umdenken einzusetzen. In Deiner partnerlosen Situation brauchst Du viele neue Ideen, um den Wirrwarr von Problemen zu meistern. Wie Du das schaffst, liegt nun tatsächlich *allein* in Deinen Händen. Zum besseren Verständnis, was damit gemeint ist, bietet sich wieder das Beispiel vom Tisch an:

Nachdem *Du* jetzt Deinen *eigenen* Tisch ohne Hilfe eines Partners (einer Partnerin) bauen mußt, müssen auch die Ideen, wie Du das am besten machst, von *Dir* sein!

Eine gute Idee ist ein guter Gedanke, den *Du* denkst. Also kommt es darauf an, daß *Du* die richtigen Gedanken denkst, die Deinen (vorübergehenden) Single-Zustand zu einer freudvollen Lebensphase werden lassen. Wenn *Du Deinen Willen* auf das Ziel *(„Mein Single-Tisch wird ein wunderschönes Stück")* lenkst, wirst Du ganz leicht die richtigen Ideen dazu entwickeln!

An der Tatsache „Ich bin Single" kannst Du momentan nichts verändern. Wohl aber ist es möglich, daß *Du Deine Einstellung* dieser Tatsache gegenüber verwandelst: *Ich will das Beste aus meinem Single-Dasein machen!*

Es liegt einzig und allein an *Deiner* gedanklichen Motivation, ob Du die anfallenden Probleme widerwillig und lustlos oder mit Freude lösen wirst. Lösen mußt Du sie!

Vielleicht hast Du große Lust, dieses Buch zuzuschlagen, weil Du Dir nicht vorstellen kannst, daß Du allein durch Deine Willenskraft und durch neue Gedanken besser zurechtkommen könntest – weil da noch etwas ist, das Du nicht einfach „wegdenken" kannst: Deine zutiefst verletzten Gefühle (siehe auch nächsten Abschnitt: „Gefühle heilen").

In diesem Abschnitt ist es viel mehr mein Anliegen, Dir die Kraft Deines Willens bewußter zu machen:

Du hast kraft Deines Willens die *Wahl, wie* Du Deinen Single-Zustand empfinden wirst, weil *Dein* Wille darüber bestimmt, *welches* Ziel Du darin siehst!

Wenn *Du willst*, daß Dein Allein-Leben ein Selbstbedauerungs-prozeß wird, dann wirst Du Dir ständig arm und verlassen vorkom-men, obwohl da so viele interessante Aufgaben auf Dich warten! Wenn *Du* aber Deinen Single-Zustand als Chance wahrnehmen *willst*, wirst Du in Deinen Problemen keine Schwierigkeiten, sondern viele bereichernde Möglichkeiten finden, Deine Kreativität zu entfalten!

Die Zielvorstellung *Deines* Willens bestimmt also, welche Ideen Dir einfallen, um es zu erreichen.

Beispiel:

Wenn Du aufs Land übersiedeln willst, fällt Dir ja auch vieles dazu ein: Du kaufst Dir eine Immobilienzeitschrift, informierst Dich über die Grundstückspreise, besichtigst verschiedene Objekte und triffst schließlich eine Entscheidung. Es war allein *Dein Wille*, der sich das Ziel „Auf dem Land wohnen" ausgesucht hat. Und es war allein *Dein Wille*, der Dich aufgrund entsprechender Ideen aktiv werden ließ.

Und so stellt sich Dir als *Frisch*-Single genauso wie als *Lang-zeit*-Single eine sehr wichtige Frage: „Auf welches Ziel soll ich meinen Willen richten, solange ich (noch) Single bin?"

Dein Einverständnis vorausgesetzt, darf ich diese Frage beant-worten: Das Ziel, auf das Du Deinen Willen richten sollst, solange Du (noch) allein bist, ist die Selbstliebe.

„Ich *will* mich lieben, so wie ich bin – in jedem Augenblick."

Wenn Du Dich von ganzem Herzen lieben willst, wirst Du viele Ideen entwickeln, Dein Ziel zu erreichen! Es kann sein, daß Du trotzdem nicht sofort von Deinen verletzten Gefühlen befreit bist. Um so mehr Liebe und Beachtung braucht Dein Ärger, Deine Wut, Dein Frust, Deine Traurigkeit, Deine Angst ... Sich selbst zu lieben bedeutet, *ja* zu sagen. Du brauchst Deine verwundeten Gefühle also nur in Dein Ziel „Ich liebe mich" mit einzubeziehen:

Ich bin jetzt wütend, und das stimmt für mich.
Ich bin traurig, und so mag ich mich jetzt.
Es ist gut für mich, wenn ich meine Tränen fließen lasse.
Ich mache mir jetzt Luft, weil es mir gut tut.

Im Augenblick habe ich Angst, und das ist in Ordnung.

Gedanke:
Wieder so ein sinnloser Tag,
ich werde es nie schaffen,
da herauszukommen.

Wenn Du so denkst, hast Du Dich nicht sehr lieb. Doch wäre diese Situation eine tolle Möglichkeit zu lernen, Dich zu lieben! Du kannst gleich damit beginnen. Sprich die Korrektur Deiner Gedanken laut aus:

<u>„Das nehme ich jetzt zurück" oder „Ich korrigiere" und erfinde neue, liebevolle Gedanken.</u>

Situation:
die gleiche

Gefühle:
dieselben

Neuer Gedanke:
Regen ist gut für die Haut.
Ich gehe jetzt spazieren und mache mir Luft.
Ich darf mich ärgern, soviel ich will, und das ist super!
oder:
Es ist wunderbar, im Bett zu bleiben, wenn es regnet.
Ich verkrieche mich wie ein Siebenschläfer, solange ich will, und das ist herrlich!

Lieber Single, vielleicht gelingt es Dir noch besser, Deinen Allein-Lebe-Zustand positiv zu sehen, wenn Du erkennst, warum Du in diesen Zustand geraten bist: Du hast damit die Möglichkeit, Dein Wesen ins Lot zu bringen. Jetzt hast Du die Chance, ein eigenständiger Mensch zu werden und alles zu tun, wofür Du in Deiner Partnerschaft zu wenig Zeit hattest. Der Wunsch nach individuellem Selbstausdruck ist ein Bedürfnis, das in jedem Menschen schlummert. Und wenn auch in Deinem Herzen die Sehnsucht nach dem idealen Partner (der idealen Partnerin) brennt, kannst Du dennoch Deine große Chance nutzen: Fördere Deine Talente und

Begabungen! Erfreue Dich an Deinen Hobbys und verbringe so viel Zeit damit, wie *Du* willst!

Wenn Du ein weiblicher Single bist, hast Du bestimmt viele Jahre Deines Lebens nur Deiner Familie gewidmet. Deine ureigenste Individualität ist dabei höchstwahrscheinlich zu kurz gekommen. Es ist also jenes Ungleichgewicht entstanden, das oben schon erwähnt wurde. Du hast Dein Bedürfnis, *eigenständig* zu sein, gar nicht wahrgenommen. Da aber das Leben ständig um einen Ausgleich für Dich bemüht ist, sorgt es dafür. Es war also kein „Zufall" im üblichen Sinn, daß Du jetzt ein Single bist:

Die entstandene Unausgewogenheit zwischen Deinem Bedürfnis nach Geborgenheit in einer Gemeinschaft menschlicher Wesen (Partnerschaft, Familie ...) und Deinem Bedürfnis nach individueller Lebensgestaltung soll nun ausgeglichen werden.

Wenn Du sehr lange *nur* nach dem Motto gelebt hast: „Zuerst kommen die anderen (die Eltern, der Partner, die Kinder, die Verwandtschaft ...) und dann komme ich (wenn noch Zeit übrig bleibt ...)", wurde zwar ein Bedürfnis im Übermaß befriedigt, aber die zweite Sehnsucht blieb auf der Strecke: Dein Wunsch nach Eigenständigkeit und individueller Lebensgestaltung.

Wenn Du Deinen Allein-Lebe-Zustand vom Blickwinkel der Harmonie aus zu betrachten lernst, wirst Du erkennen, wie gut es das Leben mit Dir meint: Endlich hast *Du* Gelegenheit, das zu tun, was *Du* für gut hältst!

Noch ein paar Worte zum Thema „Entscheidungen treffen": Bitte wirf nicht gleich die Flinte ins Korn, wenn Dir bei den ersten Entscheidungen, die Du allein triffst, Fehler passieren. Hab Geduld mit Dir selbst. Du betrittst Neuland wie ein kleines Kind, das sich erst orientieren muß. Doch mit jedem gelungenen: „Ja, das stimmt für mich" oder „Nein, das will ich nicht" wird sich Dein Vertrauen in das, was *Du* für richtig hältst, festigen. Möglicherweise dachtest Du jahrzehntelang, daß Deine Meinung ohnehin nicht gefragt ist. Diese Zeit ist jetzt vorbei. Du bist ein Single, der es nicht länger bleiben möchte, und wünschst Dir einen Partner (eine Partnerin), mit dem (der) Du glücklich bist. Also nutze Deine Chance und setze

Deinen Willen dafür ein, Dir vorübergehend selbst ein optimaler Partner zu sein! Bitte ergänze beziehungsweise verändere den Wortlaut der folgenden Übung nach Deinem Empfinden.

So werde ich mir ein guter Partner

Mehrmals lesen, schreiben oder auf Band sprechen.

Ich bin ein Single und wünsche mir von Herzen den idealen Partner (die ideale Partnerin), mit dem (der) ich glücklich bin.

Damit ich ihm (ihr) begegne, will ich zuerst lernen, mir selbst ein idealer Partner zu sein.

Das bin ich dann, wenn ich gut für mich selbst und mein Wohlgefühl sorge.

Ich bin dankbar für die Chance, die mir das Leben jetzt bietet, und willens, sie positiv zu nutzen.

Ich finde immer besser heraus, was mir gut tut, und gestatte mir in jedem Augenblick, das zu tun, was mein Wohlgefühl aufrecht hält.

Es gelingt mir immer besser, mich so zu mögen, wie ich derzeit bin. Daher begrüße ich auch meine negativen Gefühle liebevoll, wenn sie da sind.

Ich darf mich ärgern oder wütend sein, ich darf mich einsam fühlen oder traurig sein, so lange ich will, und sorge um so mehr dafür, etwas Gutes für mich selbst zu tun.

Ich lerne voll Freude und Dankbarkeit, Entscheidungen ohne Hilfe eines anderen Menschen zu treffen. Dabei darf ich auch Fehler machen und habe Geduld mit mir selbst, bis ich herausgefunden habe, was für mich stimmt.

So viel ich kann, fördere ich meine Talente und Begabungen. Ich nehme mir die Zeit, die ich brauche.

Ich will mein derzeitiges Noch-Single-Leben als kreativen, freudvollen Lebensabschnitt betrachten und bin dankbar für die Chance, mehr Eigenständigkeit zu entfalten.

Ich will mir selbst ein idealer Partner sein.

Meine liebevolle Einstellung zu mir selbst ermöglicht zum richtigen Zeitpunkt die Begegnung mit meinem idealen Partner (meiner idealen Partnerin), nach dem (der) ich mich schon immer gesehnt habe. Und dafür bin ich dankbar.

Gefühle heilen

Mit diesem Abschnitt wende ich mich insbesondere an alle Singles, die von ihrem Partner (ihrer Partnerin) verlassen worden sind. Wenn Du zu den „Verlassenen" gehörst, kann es sein, daß Du Dir wie das unschuldige Opfer einer Intrige vorkommst. Du glaubst, in der weit schwächeren Position zu sein, weil Dich Dein Partner (Deine Partnerin) aus einer bösen Absicht heraus im Stich gelassen oder betrogen hat. Selbstverständlich hast Du ihm (ihr) keinen Anlaß dafür gegeben. Und weil es Deiner Meinung nach in dieser traurigen Angelegenheit ein Opfer *(Dich!)* gibt, muß es auch einen „Täter" geben: Dein Partner (Deine Partnerin), der (die) so schmerzlich für Dich gehandelt hat ...

Es gibt weder Opfer noch Täter im Sinne dieser Worte. Die beiden sind eher ein von einander abhängiges Paar, die sich in ein und *derselben* Situation bloß *verschieden* verhalten: Das Opfer bleibt passiv, wartet ab, rafft sich zu nichts auf, was zur Aufklärung der bestehenden Krise beitragen könnte. Der Täter wird aktiv und tut etwas, womit er sich von der Krise ablenkt, was genauso wenig hilft, die eigentliche Aufgabe zu lösen.

Das Problem: „*Wir* stecken in einer Beziehungskrise" wird zwar von beiden irgendwie wahrgenommen, aber weder das „Opfer" noch der „Täter" finden den richtigen Weg, damit umzugehen! Beide versäumen, sich die wichtigste Frage zu stellen: „Was können *wir* an *uns* verändern, damit wir gemeinsam aus der Krise herauskommen?"

Lieber verlassener Single, dieser Abschnitt ist Dir gewidmet, weil Du wahrscheinlich viel mehr Deinen verletzten Gefühlen ausgeliefert bist, als Dein Partner (Deine Partnerin), der (die) Dich mit seinen (ihren) Ausweichmanövern so furchtbar verletzt hat. Wenn Du zur passiven Rolle neigst, kann es sein, daß Du im Moment der Enttäuschung von einer Überdosis qualvoller Gefühle überschwemmt wirst und nicht weißt, wie Du diese bewältigen sollst. Mögen die folgenden Zeilen ein bißchen Licht in Deine erschütterte Gefühlswelt bringen und Dir helfen, damit umzugehen zu lernen.

Wenn *Du* von Deinem Partner (Deiner Partnerin) verlassen worden bist, hat dies für *Dich* und *Deine* Entwicklung eine bestimmte Bedeutung, die Du jetzt noch nicht erkennen kannst. Alles, was in Deinem Leben geschieht, ist letztendlich *gut* für Dich. Dies zu glauben, mag Dir jetzt besonders schwer fallen. Und deshalb will ich Dir begreiflich machen, was ein Zufall ist.

Was Dir passiert ist, war ein *Zu*-Fall. Doch im Sinne der Bedeutung, daß Dir das Ereignis „Mein Partner hat mich verlassen" *zu*-gefallen (= zu Dir gekommen) ist, weil *Du* daraus etwas erkennen sollst.

Du bist also nicht deshalb von Deinem Partner (Deiner Partnerin) so bitter enttäuscht worden, weil Du daran zugrunde gehen sollst, sondern damit *Du* die beste Lehre für Dich selbst daraus ziehst! „Wie und womit kann ich mir jetzt am besten helfen? Was brauche ich? Was tut mir jetzt gut?"

Wenn Du bereit bist, die Trennung von Deinem Partner (Deiner Partnerin) als etwas anzunehmen, das *für Dich* vorgesehen war, wird sich Dein Gekränktsein allmählich in einen Lichtschimmer verwandeln, der von Dankbarkeit und Zuversicht begleitet ist: „Ich wurde *ent*-täuscht, damit *ich* nicht länger in der Täuschung lebe, meine Partnerschaft sei in Ordnung. *Ich* hatte damit Probleme, die *ich* nicht wahrhaben wollte."

Die von *Dir passiv* verweigerte Möglichkeit, *Deine* eigenen Probleme (Schwächen, Unzufriedenheiten ...) gemeinsam mit Deinem Partner (Deiner Partnerin) aufzulösen, hatte also jenen bösen „Zufall" zur Folge: Er (sie) hat jemand anderen kennengelernt und Dich verlassen. Womit auch Dein Partner (Deine Partnerin) seine (ihre) Abneigung gegen eine gemeinsame Lösungsfindung – jedoch *aktiv* – demonstriert hat.

Lieber verlassener Single, *Du bist kein armes Opfer* und Dein Partner (Deine Partnerin) ist kein böser Täter! Danke dem Zufall, der Dir in Form einer dritten Person zu Hilfe gekommen ist, damit *Du* erkennst, was *Du* versäumt hast: Die Ursache Eurer Krise *in Dir selbst* zu suchen und etwas zu tun, das sie zu bewältigen hilft.

Inmitten einer Hölle von verletzten Gefühlen ist es nicht einfach, eine solche Einstellung zu gewinnen – aber es ist möglich, wenn Du fest entschlossen bist, zwei Voraussetzungen zu erfüllen:

„Ich will meine Sichtweise zu dem, was geschehen ist, verändern. Ich gebe meine Opferrolle auf, weil ich an der Situation genauso beteiligt war, wie mein Partner (meine Partnerin)."

„Ich will mir jetzt viel Gutes tun, damit meine verletzten Gefühle wieder gesund und heil werden."

Die ersten Monate als „verlassener" Single können zur argen Gefühlskrise werden. Dein zutiefst verwundetes Innenleben braucht jetzt eine Phase der Schonung. Schirme Dich von allzu lauten, hektischen Einflüssen ab. Achte darauf, welches Gedankengut Du in Dich aufnimmst! Katastrophenmeldungen oder stundenlanges Reden über Krankheiten und die Schlechtigkeit der Welt werden Deinen Heilungsprozeß kaum beschleunigen. Auch das Verbreiten von Hiobsbotschaften, die Du irgendwo aufgeschnappt hast, ist jetzt nicht gut für Dich. Sorge viel mehr dafür, daß Du viel Ruhe und Zeit für Dich selbst hast. Achte auf genügend Schlaf und viel Bewegung an der frischen Luft. Sorge auch für die richtige geistige Ernährung mit schöner Musik oder einem interessanten Buch.

Wie kannst Du nun zwei Dinge auf einmal meistern, ohne zum Einsiedler zu werden? Du sollst Deinen Alltag bewältigen und Dich gleichzeitig der Heilung Deiner Gefühle widmen. Dieses Kunststück zu schaffen, ist gar nicht so schwierig, wie Du vielleicht denkst.

Wenn sich das jahrelang verschlossene Tor Deines Unterbewußtseins plötzlich öffnet, kann es sein, daß Du von der geballten Gefühlsladung, die dann zum Vorschein kommt, kurzfristig überwältigt wirst. Alle Gefühle, denen Du nie gestattet hast, sich auszudrücken, brechen auf einmal hervor und erzwingen sich so Deine Aufmerksamkeit. Da ist vielleicht noch ein alter Haß, ein unterdrückter Ärger, eine aufgestaute Wut, eine schwelende Eifersucht, eine große Angst, eine undefinierbare Traurigkeit oder eine schmerzhafte innere Einsamkeit ... All diese Gefühle gehören (noch) zu Deinem Wesen und haben eine Botschaft für Dich: „Bitte nimm mich an."

Das bedeutet, *jetzt ja* zu sagen ...

> „*Ja*, ich empfinde jetzt Haß gegenüber ..."
> „*Ja*, ich ärgere mich jetzt über ..."
> „*Ja*, ich bin jetzt wütend auf ..."
> „*Ja*, ich bin jetzt eifersüchtig, weil ..."
> „*Ja*, ich habe jetzt Angst, weil ..."
> „*Ja*, ich bin jetzt traurig wegen ..."
> „*Ja*, ich fühle mich jetzt einsam, weil ..."

und *zwei Taten* folgen zu lassen:

Die erste Tat soll ein *Ventil für Dein Gefühl* sein, sich ausdrücken zu dürfen, ohne daß Du einem anderen Wesen Schaden zufügst.

Sofort-Maßnahmen *(zum Loswerden von ...)*

Haß:	Ein Foto des (der) Gehaßten verunstalten, sich daran ergötzen und es dann verbrennen.
Ärger:	Einen geeigneten Platz in der Natur aufsuchen und 100mal laut rufen: „Ich darf mich ärgern, so viel ich will!"
Wut:	Ein Kissen beliebig oft an die Wand werfen und dazu jedesmal eine neue Wutgrimasse samt passendem Gebrüll erfinden.
Eifersucht:	Sich besonders schön machen (duschen, stylen, duften, schminken etc.) und in einen Spiegel schauen. 50- bis 100mal den Satz wiederholen: „Ich bin einzigartig."
Angst:	Den Satz: „Ich habe jetzt Angst vor ..." beliebig oft auf ein Blatt Papier schreiben, bis alle Ängste benannt sind. Die Liste mit dem Satz abschließen: „Ich darf ängstlich sein wie ein kleines Kind. Danke."

Traurigkeit:	Tränen einfach fließen lassen. „Ich darf weinen. Es tut mir jetzt gut, zu weinen."
Einsamkeit:	Einen Freund (eine Freundin) anrufen und ihm (ihr) den wahren Grund dafür anvertrauen: „Ich fühle mich gerade jetzt so einsam."

Die zweite Tat soll *Balsam für Dein Gefühl* sein. Das Mittel, das Du dafür verwenden kannst, ist ein Gefühls-Allheilbalsam und daher für jedes Gefühl gleichermaßen wirksam. Sein Name ist ein Schlüsselsatz:

„Ich bin bei mir in guten Händen."

Das bedeutet, alles in Anspruch zu nehmen, was *Dir* jetzt gut tut und womit *Du* Dich wohl(er) fühlst! Begib Dich *bewußt* nur in solche Situationen, die positive Gefühle in Dir wachrufen. Pflege *bewußt* nur mit solchen Menschen Kontakt, von denen *Du Dich* geliebt, akzeptiert und verstanden fühlst. Ebenso mag es gut für Dich sein, eine kleine Ruhepause einzulegen, was allzu enge Kontakte mit dem anderen Geschlecht betrifft. Wenn Du noch sehr an Deinen verletzten Gefühlen leidest, ist die Gefahr groß, einer Hoffnung nachzugeben, die möglicherweise wieder zu einer schmerzlichen Enttäuschung wird. Und eine solche kannst Du jetzt nicht brauchen:

Hoffnung:	Mein neuer Partner (eine neue Partnerin) wird mich bestimmt nicht verletzen.
Enttäuschung:	Er (sie) verletzt mich genauso, wie die anderen.
Erkenntnis:	Ich bin der einzige Mensch, der *meine* Gefühle heilen kann.

„Ich bin bei mir in guten Händen" soll Dein erster Gedanke nach dem Aufwachen und Dein letzter vor dem Einschlafen sein. Bestimmt findest Du auch tagsüber Zeit, ihn oft zu wiederholen. Du wirst sehen, bald ist er genauso selbstverständlich, wie Dein Geburtsdatum oder Deine Wohnadresse. Wenn die nächste Gefühlswelle kommt, wird er Balsam für Dich sein. Es ist eine wunderbare Gewißheit, bei sich selbst in guten Händen zu sein. Sie bewirkt zum Beispiel, daß Dir im Augenblick Deiner hochsteigenden Wut etwas Gutes einfällt, um sie herauszulassen und somit loszuwerden.

„Ich bin bei mir in guten Händen" ist ein Vertrauensbeweis, den Du Dir täglich selbst schenkst! Du traust Dir immer besser zu, all Deine Gefühle liebevoll zu begrüßen und Dich für deren Heilung *selbst* einzusetzen. Dies muß nicht bedeuten, daß Du ohne fremde Hilfe mit allem fertig werden sollst, was Dich bedrückt. Wenn Du Hilfe brauchst, wirst Du Hilfe finden. Dies muß so sein, weil Du mit dem obigen Gedanken bekundest, daß Du Dich auf Deine innere Führung verlassen willst. Es darf Dich also nicht wundern, wenn Dir zum Beispiel ein Buch „in die Hände" fällt oder eine Adresse, die Dir weiterhilft ...

Lieber Single, ich bin schon oft gefragt worden, wie *ich* mit meinen Gefühlen umgehe, weil mich nicht nur Freunde, sondern auch Kollegen und Klienten als sogenanntes „Gefühlsbündel" kennen. Und weil meine Antwort immer wieder ein positives Echo hervorgerufen hat, gebe ich sie abschließend auch an Dich weiter:

Ich bin in jedem Augenblick bereit, meine Gefühle aufrichtig zu zeigen und damit eine Situation zu riskieren, die nicht „geplant" war. Ich traue mir selbst wie auch anderen Beteiligten zu, diese unvorhergesehene Situation offen, ehrlich und liebevoll zu meistern. Werde ich von Gefühlen eingeholt, wenn ich allein bin, dann lasse ich ihnen so lange freien Lauf, bis sie abgeklungen sind. Ich helfe mir, indem ich mich – wie bei „Sofort-Maßnahme" oben angeführt – *mit diesem Gefühl*, das *jetzt da ist*, beschäftige (und nicht davon ablenke oder ausweiche). Aus Erfahrung kann ich bestätigen, daß bestimmte Gefühle nicht in einer einzigen, großen Dosis auftauchen und dann weg sind, sondern sich in mehrere Schübe aufteilen, die von Mal zu Mal kürzer werden und an Intensität verlieren. Ich glaube also, daß jeder Funke von Ärger, Wut oder Eifersucht, den ich spüre, als verwunschene Sehnsucht nach Liebe seine Berechtigung hat und daß mir auch der letzte Rest von Angst, Traurigkeit oder Einsamkeit nur zeigen möchte, wo ich mit der Liebe (zu mir selbst wie auch zu anderen Menschen) noch nicht im reinen bin. Und dafür bin ich dankbar.

Alles ist gut, so wie es ist

Wenn Du dieses Buch bis jetzt aufmerksam gelesen hast, wird Dir aufgefallen sein, daß das zweite Kapitel „Single-Verhaltens-Symptome" eine Bitte an Dich ist: „Überprüfe *Dein* Verhalten in Deinen bisherigen Beziehungen". Die folgenden Abschnitte zeigen einen anderen roten Faden:

> Wenn *Du* Deinem Idealpartner begegnen willst, mußt *Du* zuvor ein idealer Partner werden, und dafür kannst *Du* etwas *tun*.

Nachdem Du aber noch keinen idealen Partner hast, kann es sein, daß *Du an Dir* noch ein paar Kleinigkeiten verändern mußt ...

Wie paßt nun Deine Veränderungsbereitschaft zum Titel dieses Abschnitts? Wenn ohnehin alles gut ist, so wie es ist – warum sollst *Du* Dich dann verändern? Ich will versuchen, es Dir begreiflicher zu machen.

Wie schon im vorigen Abschnitt erwähnt, gibt es keinen Zufall im üblichen Sinn. Alles, was in Deinem Leben geschieht, ist speziell *für Dich*. Es fällt *Dir zu*. Daher gehört jeder *Zu*-Fall zu *Deinem* Lebensplan. Und dieser ist ein Teil eines noch viel größeren Planes, den Du auch Schöpfungsplan nennen kannst.

Stell Dir das Universum als riesige Kugel vor. Diese unendlich große Kugel ist mit unzähligen kleineren Kugeln gefüllt, die miteinander verbunden und andauernd in Bewegung sind. Jede Kugel besitzt eine Eigendynamik, ist aber genauso davon abhängig, wie und wohin sich die anderen bewegen. Führt nun eine bestimmte Kugel aktiv eine Richtungsänderung durch, werden zahlreiche andere ebenfalls in diese Richtung gezogen. Der Schöpfungsplan sieht vor, daß die Richtung stimmt. Entwickelt eine kleine Kugel zu viel Eigenbewegung in eine für sie nicht vorgesehene Richtung, wird sie durch einen *Zu*-Fall, ein bestimmtes Ereignis oder bei sehr großer Abweichung durch einen Schicksalsschlag auf den rechten Weg zurückgebracht. Und so hat jede Kugel zwei Aufgaben: In der richtigen Richtung zu bleiben und selbst richtige Züge zu machen.

Wenn Du nun dieses Bild auf Dein Leben überträgst, wirst Du Dir leichter vorstellen können, warum alles *gut* ist: Damit *Du* immer besser herausfindest, welche Richtung für Dich stimmt! Solange Du nur die Richtung anderer befolgst, wirst Du irgendwohin gezogen, obwohl das manchmal für Dich gar nicht stimmt. Wenn nun in Deinem Leben ein bestimmter *Zu*-Fall passiert, möchte Dich der Schöpfungsplan in *Deine* Richtung lenken, von der Du abgekommen bist.

Wenn Du nicht weißt, welche das ist, kannst Du Dir augenblicklich eine Frage stellen: „Wenn ich mir dieses oder jenes vorstelle zu tun, bin ich dann von Herzen glücklich?" Wenn *ja*, dann zögere bitte nicht, aktiv zu werden. Denn je öfter Du etwas tust, was Dir Freude und Glück bereitet, desto mehr bist Du im Einklang mit der Liebe Deines Lebensplanes.

> „Alles ist gut, so wie es ist" bedeutet also, vertrauensvoll im stillen Einverständnis mit dem Schöpfungsplan zu sein, der Dir mit jeder Situation nur zeigen will, was an *Deiner* Bereitschaft, ein Liebender zu sein, bis jetzt noch gefehlt hat.

Wenn Du Dich von der Liebe allzu weit entfernt hast, empfindest Du Schmerz. Schmerz entsteht immer nur dann, wenn Du mit einer Situation innerlich nicht einverstanden bist. Wenn sie Dir „gegen den Strich geht ..." oder „schwer auf die Nerven fällt ...", *obwohl Dir genau diese Situation nur helfen will, der Liebe näher zu kommen!*

Jede Situation ist deshalb *gut* für Dich, weil sie aufzeigt, wo *Deine Liebe zu Dir selbst* (noch) ein paar kleine Mängel aufweist ...

Christa:

Möge folgendes Ereignis, das sich in den ersten Wochen unseres Verliebtseins abgespielt hat, als Beispiel dafür dienen:

Wir kennen uns seit drei Monaten. Unser Verliebtsein hat bis heute angehalten. Um so mehr freue ich mich auf unseren ersten gemeinsamen Urlaub, den wir im Haus meines Freundes verbringen wollen, inmitten unberührter Natur und abgeschieden vom Lärm der Großstadt. Ein paar Tage vorher werde ich plötzlich vor eine neue Situation gestellt: Die Mutter meines Freundes fährt mit. Trotz meiner Enttäuschung bin ich mit einem Urlaub zu dritt einverstan-

den. *Schon am ersten Tag muß ich viel Geduld und Verständnis aufbringen, weil die alte Dame fast rund um die Uhr die Hilfe meines
Freundes benötigt und keine Zweifel darüber aufkommen läßt, daß
ihre im Befehlston ausgesprochenen Bedürfnisse an erster Stelle
stehen. Unsere gemeinsamen Urlaubsaktivitäten beschränken sich
auf ein Mindestmaß. Dazu kommt eine dringende Arbeit für die
Baubehörde, die Karl noch zusätzlich in Anspruch nimmt. Meine
psychische Verfassung verschlechtert sich immer mehr, da ich stets
auf der Hut bin, nur ja alles richtig (!) zu machen. Wir sprechen
kaum noch miteinander. Am dritten Urlaubstag kommt es dann zu
folgender Szene:*

*Ich sitze seit geraumer Zeit allein mit meinen Büchern auf der
Terrasse. Allein mit der Qual meiner Gefühle, die sich bereits körperlich zeigen. Es ist, als liege ein brennender Stein auf meiner Brust.
Ich registriere die herrliche Bergwelt im Abendlicht, doch nichts
Schönes dringt wirklich in mich ein. Karl hat auch diesen Tag mit
Arbeit verbracht und in seiner verbliebenen Freizeit die Wünsche
seiner Mutter erfüllt. Ich sehne mich so sehr nach seiner Zuwendung und seiner Wärme. Die Enttäuschung über den so anders ver-
laufenden Urlaub hat mich in eine Art Lähmung versetzt. Ich lasse
mich immer tiefer in meinen Schmerz hineinfallen und steigere diese
seltsame Form des Loslassens noch, indem ich einige Gläser Wein
in mich 'reinschütte. Die Gefühlshölle in mir scheint immer noch
nicht schlimm genug zu sein, denn ich begreife nicht, was mir diese
Situation zeigen möchte. Und daher ist es kein „Zufall", wie dieser
Abend endet: Kurz vor Mitternacht steht mein Freund reisefertig
vor mir und teilt mir in knappen Worten mit, daß mein Zug um
1.30 Uhr abfährt und er mich jetzt zum Bahnhof bringen möchte.
Diese Mitteilung bewirkt, daß ich jeglichen Widerstand gegen das
Geschehen aufgebe und meinen Koffer packe. Irgendwie ahne ich
wohl, daß ich mir dieses Ereignis geholt habe, doch zum Erkennen
des Zusammenhangs fehlt mir die Kraft. Am Bahnhof angelangt,
verabschieden wir uns mit einem Händedruck und wünschen uns
gegenseitig alles Gute für die Zukunft.*

*Ich habe mich selten so einsam gefühlt wie jetzt, auf diesem nächt-
lichen Bahnsteig. Es ist einer jener Augenblicke, in dem man glaubt,
das Liebste für immer verloren zu haben. Um mich scheint ein un-*

sichtbarer Ring zu sein, der mich von allem Geschehen trennt. Auf der Bank neben mir flüstert sich ein junges Pärchen Koseworte zu – etwas weiter weg einige Gestalten, die auf ihren Rucksäcken die ungewollte Wartestunde verdösen, da unser Zug über eine Stunde Verspätung hat. Mein Schmerz über das, was geschehen ist, ist so groß, daß ich nur noch Leere empfinde, die nach und nach von einer grenzenlosen Traurigkeit aufgefüllt wird. Alle Anstrengungen zu erkennen, warum zwischen meinem Freund und mir plötzlich eine so unüberwindliche Kluft entstanden ist, scheitern.

Endlich kommt der Zug, von Reisenden überfüllt, so daß ich am Gang stehen bleibe. Und während er langsam zu fahren beginnt, blicke ich noch einmal zurück auf den nächtlichen Bahnsteig. Karl steht dort, und seine Augen werfen mir einen unvergeßlichen Blick zu. Mein ganzer Schmerz wird akut und ein verzweifelter Geistesblitz schießt durch meinen Kopf, ich könne ja noch rasch aussteigen und alles ist wieder gut ... Doch rascher, als ich handeln kann, bewegt sich der Zug vorwärts.

Während ich endlose Stunden in einem überfüllten Abteil durchstehen muß, durstig und erschöpft, mit starken Kopfschmerzen und völlig verzweifelt, erinnere ich mich an die letzten Abschiedsworte meines Freundes: „Alles ist gut, so wie es ist."

Lieber Single, inzwischen sind fast drei Jahre vergangen. Und obwohl damals alles dagegen sprach, daß wir uns je wiedersehen, sind wir heute noch verbunden. Jede widrige, unangenehme, schmerzliche Szene, die wir miteinander erlebt haben, war *gut,* weil uns jede einzelne die Richtung gezeigt hat, die für uns vorgesehen ist: Miteinander immer ehrlicher, verständnisvoller, aufrichtiger und liebevoller umzugehen.

Möge es Dir gelingen, die Sinnhaftigkeit jeder Situation in Deinem Leben als guten Willen eines überaus weisen Planes zu begreifen, der von einer mächtigen, liebevollen Intelligenz für Dich gemacht worden ist.

<u>„Alles, was in meinem Leben geschieht, will mir nur helfen, zur Liebe zu finden. Und dafür bin ich dankbar."</u>

Kapitel 4

Die Bereitschaft

Mein Du ist mein Spiegel

„Der Tempel der tausend Spiegel" – ein Märchen aus China – erzählt folgende Geschichte:

Eines Tages betrat ein Hund den Tempel der tausend Spiegel. Er war ganz allein und hatte große Angst davor, daß sich dieser Zustand niemals verändern würde und er keinen Gefährten finden könne. Verzweifelt und mißtrauisch sah er plötzlich tausend Hunde, die ihn argwöhnisch und mißtrauisch beäugten. „Was wollen die von mir, das lasse ich mir nicht gefallen", dachte er und begann laut und wütend zu bellen. Doch die tausend Hunde waren ihm nicht freundlich gesinnt, denn sie bellten wütend zurück. Also ging der Hund zum Angriff über und stürzte sich zu Tode. Am nächsten Tag kam ein anderer Hund in den Tempel der tausend Spiegel. Auch er war ganz allein, doch er freute sich seines Lebens und wedelte mit dem Schwanz. Worauf ihm tausend andere Hunde freundlich entgegenwedelten und er glücklich war, in froher Gesellschaft zu sein.

Lieber Single, bist Du bereit zu einem kleinen Experiment? Wenn ja, dann folge mir bitte in den Tempel Deiner Beziehungen. Phantasie und Neugierde ist alles, was Du dazu brauchst.

Stell Dir vor, Du betrittst einen großen Tempel, in dem sich Tausende Menschen befinden, die aneinandergereiht dastehen und Dir ihre Gesichter zuwenden. Durch eine unsichtbare Zauberkraft nehmen nun alle Denkmuster, Charakterzüge, Wesensmerkmale, Gefühle und Glaubensgrundsätze, die *derzeit* in *Dir* vorhanden sind, eine sichtbare Gestalt an.

Das bedeutet, daß Dir jeder einzelne Mensch, den Du da siehst, einen bestimmten Teil vom dem *spiegelt,* was *Du* (im Augenblick) als Ganzes darstellst.

Vielleicht kommt Dir eine solche Betrachtungsweise etwas ungewöhnlich vor. Trotzdem kann sie wertvolle Spuren hinterlassen, was Deine Selbsterkenntnis betrifft. Dein Einverständnis vorausgesetzt, setze ich das Experiment fort.

Der Tempel, in dem Du Dich jetzt befindest, ist ein geheimnisvoller Ort. Hier kannst Du sehr viel über Dich selbst erfahren. Weil sich jede Person, die hier ist, bereit erklärt hat, *Dein* Spiegelbild zu sein! Und deshalb ist es genauso, als würdest Du nun in tausend echte Spiegel schauen: Was Dir da entgegenblickt, bist immer nur *Du selbst.*

Hast Du Lust, unser Experiment gleich jetzt etwas wirklichkeitsnaher anzuwenden? Wenn ja, dann stell Dir bitte alle Menschen vor, mit denen Du derzeit befreundet bist. Beziehe auch Deine Familie, Bekannte, Kollegen und fremde Personen (die Dir zum Beispiel in der U-Bahn gegenübersitzen), mit ein.

All diese Menschen sind *Deine* Spiegelbilder.

Manche werden Dich entzücken, während Du mit einigen anderen wenig oder gar nicht zufrieden bist.

Lieber Single, dieses Experiment ist nicht nur ein Phantasiegebilde, sondern spielt sich tagtäglich in Deinem Alltag ab. Jeder Mensch, mit dem Du zu tun hast und an dem Dir etwas Bestimmtes auffällt, spiegelt Dir einen bestimmten Teil *Deines* Wesens, obwohl Dir das nicht immer oder noch nicht bewußt ist.

Wie und woran *Du* denkst, woran *Du* glaubst und welche Gefühle in *Dir* gegenwärtig sind, kannst Du demnach aus den menschlichen Spiegelbildern in Deinem Umfeld erkennen.

Das bunt gemischte Durcheinander, das Dir ununterbrochen (besonders in Deinem näheren Umfeld!) entgegenblickt, ist in Summe ein perfektes Spiegelbild *Deiner* derzeitigen seelisch-geistigen Verfassung.

Wenn Dir nun ein bestimmtes Spiegelbild *nicht* gefällt, dann solltest Du bereit sein, eben das, was Dir auffällt, *an Dir selbst* wahrzunehmen. Was *Du* zum Beispiel an einem anderen Menschen kritisierst, ist genau das Verhalten, das *Du an Dir selbst* nicht magst! Was *Dir* am anderen unangenehm auffällt, ist immer nur das, was *Du an Dir selbst* als schlecht oder „böse" beurteilst! Denn würdest *Du* damit nicht im Clinch sein, könnte Dich an einer anderen Person weder etwas stören noch in irgendeiner Weise belasten. Es wäre Dir gleichgültig, was ein anderer tut. Dein Wohlgefühl könnte nicht im geringsten davon beeinflußt werden.

Ein einfaches Beispiel:

Du freust Dich auf ein Abendessen im Restaurant. Da kein anderer Platz frei ist, setzt sich eine fremde Person zu Dir. An dieser Person fällt Dir unangenehm auf, wie distanziert und unsicher sie wirkt. Deine gute Stimmung schwindet langsam dahin. Schweigend verzehrst Du den letzten Bissen, und weil Du Dir nicht sicher bist, ob der (die) andere mit Dir reden möchte, sagst Du lieber gar nichts, obwohl eigentlich ein „Dankeschön" angebracht wäre. Besagte Person hat Dir nämlich einen Spiegel vor Augen gehalten, in dem Du Dich für die Dauer eines Abendessens selbst sehen konntest: Schweigend, distanziert und verunsichert. Und wenn *Dir* ein solches Verhalten nicht gefällt und *Du* Dich damit nicht wohl fühlst, dann solltest *Du* es *an Dir selbst* erkennen und hinterfragen.

Wenn Du als wahr gelten läßt, daß jedes Du ein Spiegelbild von *Dir* ist, hast Du den Schlüssel zur Formung Deiner Persönlichkeit selbst in der Hand. Und wenn Du dann noch den nötigen Mut aufbringst und sagst (denkst): „So bin ja ich!", kannst Du Dich frei entscheiden, ob Du eine bestimmte Eigenschaft beibehalten oder aufgeben möchtest.

Ein Beispiel für männliche Singles:

„Mein Spiegelbild ist ein Mann (sind mehrere Männer)"

Du tanzt gut. Und weil Du im Moment keine Partnerin hast, besuchst Du häufig ein sogenanntes Single-Tanzlokal. An einigen männlichen Singles, die Du vom Sehen her kennst, fällt Dir auf, daß besagte Herren nicht nur zum Tanzen da sind, sondern um einen

„Aufriß" zu machen. Du sparst nicht mit Kritik und denkst: „Wie sich die benehmen, die sind allesamt nicht partnerfähig!", während Dein Blick gezielt umherschweift, um die flotteste Biene aufs Parkett zu holen (obwohl da auch mollige und ältere Damen sind, die sehr gut tanzen) und ihr wohlwollend anzubieten, sie (nicht nur) nach Hause zu bringen.

Später, wenn Du wieder allein bist, kannst Du Deinen Dank aussprechen, weil Dir ein Spiegel vor die Nase gehalten worden ist. Und wenn *Dir* das Verhalten „Ich reiß mir eine auf – was soll's ..." nicht (mehr) gefällt, dann solltest *Du* es nicht länger beibehalten.

Ein Beispiel für weibliche Singles:

„Mein Spiegelbild ist eine Frau"

Du triffst Dich mit Deiner besten Freundin zum Kaffeeklatsch. Diese hört nicht auf, über alle Maßen von ihrem neuen Freund zu schwärmen. Du kommst kaum zu Wort. Alle Versuche, den Redefluß Deiner Freundin zu unterbrechen, scheitern. Dabei wolltest Du ihr heute ausführlichst erzählen, welch tollen Mann Du kennengelernt hast! Frustriert beendest Du unter einem Vorwand die heutige Plauderstunde.

Zu Hause angelangt, kannst Du Deiner Freundin ein Dankeschön schicken, weil Sie Dir einen Spiegel vor Augen gehalten hat. Wenn *Du* es als unangenehm empfindest, wenn jemand intime Angelegenheiten lang und breit weitererzählt, mußt *Du* diese Eigenschaft an Dir selbst hinterfragen.

Zusammengefaßt ergibt sich nun folgende Idee:

„Jeder Mensch, mit dem ich in Berührung komme, bin (auch) ich! Was mir an ihm *gefällt*, behalte ich bei oder kann ich entwickeln. Was mir an ihm *nicht gefällt*, lasse *ich (!) sein.*"

Das wohl aussagekräftigste Spiegelbild Deiner selbst ist Dein (früherer oder derzeitiger) Partner. Wenn Du ihn (sie) immer wieder als *Dein* Spiegelbild betrachtest, hast Du mit Sicherheit einen ganzen Schlüsselbund zur Selbsterkenntnis in der Hand!

In Deinem Partner (Deiner Partnerin) spiegelt sich präzise *Deine* momentane seelische Verfassung. Liebesbeziehungen entstehen aus der Sehnsucht Deiner Seele, sich mit einem Du zu vereinen. Diese Sehnsucht ist so groß, daß Gott Amor ein wenig nachhilft. Du verliebst Dich „Herz über Kopf" in einen bestimmten Mann oder eine bestimmte Frau. Frisch verliebt siehst Du im Gesicht Deines Partners (Deiner Partnerin) *Deinen* erleuchteten Glückszustand gespiegelt, von dem Du schon immer geträumt hast. Das menschliche Wesen, in das Du verliebt bist, zeigt Dir also bloß das Spiegelbild *Deiner* jetzt vor Glück strahlenden Seele ... Leider dauert dieses Glück oft nur kurze Zeit. Dein Gegenüber scheint sich zu verwandeln! **Halt.**

Wenn *Du* Dich in Deinem Partner (Deiner Partnerin) gespiegelt siehst, dann bist *Du* es, der (die) sich verändert:

„*Ich* fühle mich immer weniger wohl ..."
„*Ich* kann mit dieser Eigenschaft meines Partners (meiner Partnerin) nicht gut umgehen ..."
„Und daher muß *ich* in *mir* nachforschen, warum dies so ist."

Was Du da liest, mag Dir völlig unsinnig erscheinen. Trotzdem bitte ich Dich, mit der Intelligenz Deines Verstandes („Ich lese weiter und prüfe, inwieweit ich dem Ganzen zustimmen kann") und mit der Neugierde eines Kindes („Ist ja toll, was ich da Neues entdecke!") weiterzulesen.

Wenn *Du* als *wahr* anerkennst, daß das, *was Dir an Deinem Partner (Deiner Partnerin) besonders angenehm oder besonders unangenehm auffällt, immer nur Du selbst bist,* wirst Du die Sinnhaftigkeit einer Liebesbeziehung besser begreifen:

Dein Partner (Deine Partnerin), den (die) Du liebst, ist das Spiegelbild *Deiner* Seele. Daher ermöglicht er (sie) Dir etwas, das Du ohne ihn (sie) nie tun könntest: einen Blick auf das momentane Befinden und die Bedürfnisse *Deiner* Seele zu werfen.

Der Blick auf Deine eigene seelische Verfassung, die Du immer *an Deinem Partner (Deiner Partnerin)* gespiegelt *siehst,* kann Dir höchste Glücksgefühle bescheren oder furchtbaren Schmerz zufügen. Er kann schreckliche Angst oder Abwehr hervorrufen, so daß Du am liebsten flüchten würdest oder den *Spiegel* (!) zerschlagen willst – was sich durch eine dementsprechende Handlung zeigen kann: Du brichst entweder die Beziehung zu dem Mann (der Frau), den (die) Du liebst, jäh ab oder gehst zum Angriff auf ihn (sie) über. Beide Möglichkeiten werden Dich nur kurzfristig erleichtern. Die Spiegelwirkung hat nämlich eine merkwürdige Eigenschaft: Sie überträgt sich solange auf jeden neuen Partner (auf jede neue Partnerin), bis Du bereit bist, das immer wiederkehrende Verhalten Deiner Partner(innen) als *Abbild Deiner eigenen seelischen Verfassung* zu erkennen und anzunehmen: „Das bin ja *ich* und so sieht es in *meiner* Seele aus!"

Es kann nicht oft genug betont werden, daß *Du in einem Spiegel immer nur sehen kannst, was Du bist.*

Es hat also wenig Sinn, vor Dir selbst davonzulaufen oder Dich selbst zu attackieren! Es sei denn, Du willst Dir Schaden zufügen – so wie der erste Hund im Tempel der tausend Spiegel durch einen Angriff auf sein eigenes Spiegelbild ums Leben kam.

Es stellt sich Dir also die Frage, wie *Du* mit den wenig erfreulichen Partnerspiegelbildern Deiner selbst besser umgehen kannst. Mit Deinem Einverständnis darf ich diese Frage beantworten: Welch unschönes Bild Du auch immer siehst, bleib bitte aufrichtig und gehe liebevoll mit Dir um.

Du hast Dich nämlich in diesen bestimmten Mann (diese Frau) nicht nur wegen der himmlischen Übereinstimmung verliebt, sondern auch deshalb, um durch ihn (sie) die dunkelsten Punkte *Deiner* Seele gespiegelt zu sehen. Und das sind jene, denen *Du* in Deinem bisherigen Leben keine Beachtung und zu wenig Liebe geschenkt hast. Danke Deinem Partner (Deiner Partnerin), daß er (sie) für Dich Spiegel ist (war). Er (sie) hat Dir viele Glücksmomente geschenkt, Dir aber auch ermöglicht, ungeheilte Bereiche *Deiner* Seele wahrzunehmen.

Wenn Du Dich zu einer besseren Umgangsweise mit Deinem Spiegelbild entschließen willst, indem Du diesmal nicht in Panik davonläufst oder es angreifst, gibt es eine einfache Methode, den Spiegel gleich an Ort und Stelle zur Selbsterkenntnis anzuwenden:

Quick-Umsetzung

Streiche alle *Du*-Botschaften aus Deinem Wortschatz, die Dir aufgrund des gezeigten Spiegelbildes spontan einfallen:

Du bist kompliziert,
Du bist schwierig,
Du bist gefühllos,
Du bist hartherzig,
Du bist mir nicht gewachsen,
Du weißt nicht, was Du an mir hast,
Du bist ein riesengroßer Egoist,
Du hast keinen Sinn für Humor,
Du liebst mich nicht mehr ...

und setze statt dessen das Wort „Ich" ein:

Ich (!) bin eben jetzt kompliziert, schwierig, gefühllos und hartherzig.
Ich bin Dir jetzt nicht gewachsen.
Ich weiß nicht, was ich an Dir habe.
Ich bin eben jetzt ein riesengroßer Egoist, habe keinen Sinn für Humor und
ich entziehe Dir gerade jetzt meine Liebe ...

Das Akzeptieren eines unangenehmen Spiegelbildes scheint deshalb so schwierig zu sein, weil Du gewohnt bist, bestimmte Eigenschaften oder Verhaltensweisen generell als böse oder schlecht zu beurteilen. Diese „Urteile" hast Du schon vor langer Zeit getroffen und zu einem Glaubensgrundsatz gemacht:

<u>Wenn sich jemand so oder so verhält, dann ist er ein guter Mensch. Wenn er dieses oder jenes tut, dann ist er ein schlechter Mensch.</u>

Beispiel:

„Wenn ich mich für einen anderen Menschen aufopfere und dafür meine Gesundheit verliere, dann bin ich ein guter Mensch. Wenn ich es nicht tue, bin ich ein schlechter Mensch."

Wenn Du ein solches Urteil getroffen hast, muß daraus folgen, daß Du auch Deinen Partner (Deine Partnerin) auf diese Weise beurteilst:

„Wenn Du Dich so verhältst, wie *ich* es für gut befinde, dann bist Du ein guter Mensch. Wenn Du Dich jedoch anders verhältst, dann bist Du böse, schlecht, gemein oder lieblos ...“

Halt.

Da ist eine *Du*-Botschaft, die Du bitte quick-umsetzen solltest:

„Wenn *ich* mich anders verhalte, als *ich* es bis jetzt für gut befunden habe, dann komme **ich** mir böse, schlecht, gemein oder lieblos vor.“

Ein Beispiel für männliche Singles:

An Deiner Freundin (Partnerin, Ex-Partnerin) fällt Dir unangenehm auf, daß diese in Deinem Beisein leicht (öfters, immer wieder) zu weinen beginnt. „Du bist ja krank, irgend etwas stimmt mit Deiner Psyche nicht!“ hast Du ihr schon oft genug gesagt. Trotzdem gibt es immer wieder Tränen, wenn Du mit ihr zusammen bist, und das geht Dir schwer auf die Nerven. **Halt.** Du hast soeben einen Blick auf *Deinen eigenen blinden Fleck* geworfen: *„Ich* bin krank, irgend etwas stimmt mit *meiner* Psyche nicht und deshalb ist *mir* zum Heulen zumute ... wenn mir das auch (noch) nicht bewußt ist, ist es dennoch wahr. Weil ich im Spiegel der Frau, die ich liebe, immer nur *mein* seelisches Befinden wahrnehmen kann. Vielleicht habe ich es bis jetzt als „schlecht“ (weil unmännlich) beurteilt, daß ich psychische Probleme habe und mir deshalb nicht gestatte, meinem Kummer freien Tränenlauf zu lassen ...“

Ein Beispiel für weibliche Singels:

An Deinem Freund (Partner, Ex-Partner) fällt Dir unangenehm auf, daß er mit Dir nie übers Heiraten spricht. „Du bist ein typischer Single. Du willst Dich nicht binden!“ hast Du ihm schon oft genug vorgeworfen. Trotzdem scheint das Wort „Hochzeit“ in seinem Sprachschatz zu fehlen, und das erfreut Dich gar nicht. **Halt.** Du hast soeben einen Blick auf einen blinden Fleck in Deiner Seele geworfen: „*Ich* bin (noch immer!) ein typischer Single (vielleicht eine Emanze?) und mag mich nicht binden – wenn mir das auch nicht bewußt ist, ist es dennoch wahr. Weil ich im Spiegel des Mannes, den ich liebe, immer nur *mein* seelisches Empfinden wahrnehme. Vielleicht habe ich bis jetzt als „schlecht" (weil unweiblich) beurteilt, daß ich eine selbständige, unabhängige Frau bin. Und deshalb habe *ich* meinem Wunsch, eine liebevolle Ehefrau zu sein, keine Existenzberechtigung gegeben ..."

Der Blick in den andersgeschlechtlichen Spiegel hat noch eine wichtige Aussage für Dich. Du siehst das momentane Entwicklungsstadium zweier Prinzipien gespiegelt, die in Dir gleichzeitig (mehr oder weniger deutlich) wirken: Die aktive (männliche) Kraft und die passive (weibliche) Kraft.

Lieber *weiblicher* Single, Du kannst demnach aus der *Summe der Spiegelbilder aller männlichen Wesen*, mit denen Du derzeit näheren Kontakt hast (Vater, Bruder, Sohn, Freund, Chef und so weiter) auf die Verfassung *Deines* „Inneren Mannes" schließen.

Lieber *männliche*r Single, Du hast Gelegenheit, *aus den Spiegelbildern aller Frauen*, von denen Du umgeben bist (Mutter, Schwester, Tochter, Freundin, Kollegin und so weiter) den Zustand *Deiner* „inneren Frau" wahrzunehmen.

Was bedeutet das?

Aufgrund Deines Geschlechts identifizierst Du Dich als *Mann* oder *Frau*. Diese Tatsache in Frage zu stellen, ist nicht mein Anliegen. Ich möchte Dir vielmehr näherbringen, daß jeder Mann auch „weibliche" Teile in sich trägt und in jeder Frau auch ein „innerer Mann" vorhanden ist.

Wie schon erwähnt, strebt das Leben ständig nach Harmonie und sorgt bei Bedarf dafür, daß sowohl das männliche als auch das weibliche Prinzip im Sinne einer ausgewogenen Kräfteverteilung in Dir wirken.

Jede Art von Einseitigkeit („Ich bin ein Mann. Daher bin ich allen Situationen gewachsen, bin ich immer stark, bin ich stets der Aktive, zeige ich keinen Schmerz, stehe ich alles durch ..." oder

„Ich bin eine Frau. Daher warte ich stets ab, bin ich schwach, bleibe ich stets passiv, habe ich für alles Verständnis, bin ich immer verfügbar ...") widerspricht dem Gesetz der Harmonie, das *innerhalb* eines menschlichen Wesens genauso wirkt wie in größeren Dimensionen.

Wenn Du als Mann *nur* Deine „männliche" Seite auslebst und die weibliche verkümmern läßt, muß das Leben für einen Ausgleich sorgen. In diesem Fall hast Du sehr aussagekräftige Spiegel vor Augen, damit *Du* Deine Einseitigkeit an Dir selbst erkennst. Du begegnest vielen „typischen" Frauen (Weibchen?), die Dir den verkümmerten Zustand *Deiner* weiblichen (weichen) Seite spiegeln: Da gibt es ein „Heimchen am Herd", eine „Übersensible", eine „Zärtlichkeitsfanatikerin", eine „Dauerzuhörerin", eine „Hilflose", ein „Gefühlsbündel" oder ein „Kleines Mädchen" ...

All diese Frauen entsprechen zur Zeit *Deiner* inneren Frau und sind Spiegelbilder für das, was auch *Du* als Mann entwickeln oder zeigen sollst: Häuslichkeit, Sensibilität, Zärtlichkeit, Verständnis, Ratlosigkeit und viel Liebe für das kleine Mädchen, das da auch noch in Dir existiert.

Wenn Du als Frau *nur* Deine „weibliche" Seite auslebst und die männliche verkümmern läßt, muß das Leben ebenfalls einen Ausgleich schaffen. In Deinem Umfeld befinden sich dann viele „typische Männer" (Machos?), an denen Du den mißlichen Zustand Deiner männlichen (kraftvoll-dynamischen) Seite siehst: Da gibt es den „Gestreßten Manager", den „Kühlen Kopf", den „Ewig Vernünftigen", einen „Telefonratgeber", einen „Vaterersatz", einen „Selbstdarsteller" und einen „Kleinen Jungen" ...

All diese Männer entsprechen zur Zeit *Deinem* inneren Mann und sind Spiegelbilder für das, was auch *Du* als Frau entwickeln oder zeigen sollst: Berufliches Engagement, vernünftiges Einsetzen Deines Verstandes, Mut, Eigeninitiative, selbstsicheres Auftreten und viel Liebe für den kleinen Jungen, der da auch noch in Dir existiert.

Wenn Du auch diese erweiterte Spiegelfunktion für Dich anwenden willst, kannst Du Dich mit folgender Frage darauf einstimmen: „Wie gleichberechtigt sind in mir Mann und Frau (hart und weich, hell und dunkel, geben und empfangen, handeln und geschehen lassen) verteilt, und wie schaffe ich es, meine beiden Kräfte ausgewogener einzusetzen?"

Die Aufgabe des andersgeschlechtlichen Spiegelbildes ist es, verborgene Bereiche sichtbar zu machen, mit denen Du bis jetzt noch nicht konfrontiert warst. Du sollst also etwas Neues entwickeln.

Wenn Du nun als betont männlicher Mann häufig mit sehr weiblichen Frauen konfrontiert bist, sollst Du nicht nur deren Ritter sein, sondern ein bißchen von der Weichheit einer Frau *in Dich aufnehmen*, indem *Du selbst* weicher und zärtlicher wirst!

Wenn Du als betont weibliche Frau häufig mit sehr männlichen Männern konfrontiert bist, sollst Du Dich nicht nur anpassen, sondern ein bißchen von der Bestimmtheit eines Mannes *in Dich aufnehmen*, indem Du Dich selbst vertreten lernst und eigenständiger wirst.

Zusammenfassung

Jeder Mensch ist Dein Spiegel. Der eine zeigt Dir, welche Eigenschaft Du an Dir selbst schätzt. Ein anderer, was Du an Dir selbst noch nicht kennst und daher entwickeln sollst und wieder ein anderer spiegelt Dir, mit welchem Verhalten Du nicht mehr einverstanden bist und es daher aufgeben sollst. Jeder Mensch, der Dein Spiegel ist, verdient Deinen Dank, weil er zur Formung Deiner Persönlichkeit beigetragen hat.

Die folgende Übung kannst Du für jedes x-beliebige Spiegelbild (Eltern, Geschwister, Kinder, Partner, Freunde, Bekannte, Fremde), an dem Dir etwas Unangenehmes auffällt, anwenden. Das „Unangenehme" war bislang *Dein* blinder Fleck. Darunter ist eine Eigenschaft verborgen, die Dir bis jetzt an Dir selbst fremd war, weil Du sie als „böse" oder „schlecht" eingestuft hast.

Mein Du ist mein Spiegel

An _____ (Name einsetzen) fällt mir folgendes *unangenehm* auf:

1. Ausführliche Beschreibung seines (ihres) Verhaltens:
   Er (sie) ist ...

2. _____ (Name) ist in dem Moment, in dem mir dieses Verhalten an ihm (ihr) unangenehm auffällt, *mein* Spiegelbild.

3. Also *bin ich* in dem Augenblick (in dem es mir auffällt!), genauso wie er (sie) und zeige das gleiche Verhalten, obwohl es mir *nicht* bewußt ist.

4. Ich bin bereit, _____ (Name) als *mein* Spiegelbild anzunehmen. Daher will ich die obige Beschreibung auf mich beziehen und alle Sätze mit „Ich" beginnen lassen:
   „*Ich* bin im Beisein von (Name) _____
   (Beschreibung wie oben, „er/sie" durch „ich" ersetzen)

5. Weil mir diese Eigenschaft (dieses Verhalten) an _____ _____ (Name) *nicht* gefällt, kann ich daraus schließen, daß *ich* es bin, der diese Eigenschaft als negativ, falsch oder schlecht beurteilt.

6. Ich bin bereit, mein bisheriges Urteil zurückzunehmen.

7. Es ist meine alleinige Entscheidung, ob ich die oben beschriebene Eigenschaft beibehalten oder ablegen möchte – je nachdem, ob ich damit glücklich bin oder nicht.

8. Ich danke _____ (Name einsetzen) dafür, daß ich durch ihn (sie) etwas mehr über mich selbst erfahren durfte.

Hellhörig sein
für liebevolle Signale

Christa:

Es gab eine Phase in meinem Leben, in der es mir unmöglich war, liebevolle Signale wahrzunehmen, die mir von anderen entgegengebracht wurden. Mein Alltag schien nur noch aus einem riesigen Pflichtenberg zu bestehen, den ich wie ein lebloser Roboter Tag für Tag abtrug. Es kam mir vor, als wäre ich von der schönen Seite der Wirklichkeit abgeschnitten, denn ich konnte mir nicht mehr vorstellen, daß mich irgend jemand (und im speziellen ein Mann) je wirklich verstehen oder mögen könnte. Bekam ich dennoch von einem Verehrer einen Blumenstrauß überreicht, breitete sich sofort ein Gefühl des Mißtrauens in mir aus, das von „schwarzen" Gedanken (meine traurige Vergangenheit mit Männern betreffend) begleitet war. Eine unüberwindliche Mauer schien sich zwischen mir und den anderen zu befinden, die kein Signal mehr durchließ – schon gar kein liebevolles, denn ich hatte schreckliche Angst, nochmals eine Enttäuschung zu erleiden und diese nicht mehr verkraften zu können. Ahnungslos war ich das Opfer meines eigenen Glaubenssatzes geworden, der sich aufgrund meiner früheren Erfahrungen mit Männern (unbewußt) in mir festgesetzt hatte: „Ich bin es nicht wert, die Frau des Mannes zu sein, den ich liebe."

Bestimmt hast Du auch schon leidvolle Erfahrungen mit dem anderen Geschlecht gemacht und ähnliche Glaubenssätze entwickelt.

Mögen diese auch im Einzelfall voneinander abweichen oder andere Themen berühren, so haben sie dennoch alle etwas gemeinsam:

<u>Sie werden erst dann zum wirklichen Hindernis, wenn Du Deine Aufmerksamkeit *nur* auf diese „schwarzen" Bereiche Deiner Gedanken und Deines Empfindens richtest.</u>

Wenn dies so ist, dann kann es sein, daß Du einer ungewollten Automatik zum Opfer fällst, die alles Schöne, Positive und Freudvolle des gegenwärtigen Augenblicks vernebelt und für *Dich* damit nichts Schönes mehr existiert. Als Opfer eines solchen Mechanismus (siehe Kapitel 2, „Fehlprogramm") nimmst *Du* liebevolle Signale – wenn überhaupt – *nur* durch den Raster Deiner geballten Minusenergie (also durch den Filter *Deiner* seelischen Verletzungen) wahr und überträgst Deine ungeheilten Gefühle in den jetzigen Moment. Was nützt es also dem netten Herrn, den Du unlängst kennengelernt hast, Dir ein aufrichtiges Kompliment zu machen, wenn *Du* es nicht glaubst? Wie lange hätte Dich die hübsche Dame am Nebentisch noch anlächeln sollen, damit *Du* erfreut reagiert hättest?

Die Chance, einen Mann oder eine Frau kennenzulernen, wird um so geringer, je mehr Du auf das schwarze Brett vor Deinen Augen fixiert bist. Wenn Du Dich tagtäglich *nur noch* mit Deinem Schmerz, Deinem Frust, Deinen Enttäuschungen, also *nur noch* mit Deiner leidvollen Vergangenheit beschäftigst, lebst Du nie in der aktuellen Gegenwartssituation. Liebevolle Signale *im jetzigen Augenblick* wahrzunehmen ist Dir daher nicht möglich – obwohl Dir so viele entgegengebracht werden ...

Ein Beispiel für weibliche Singles:

Du genießt gerade Kaffee und Kuchen in einem netten Lokal, als ein Blumenverkäufer hereinkommt. Drei Tische weiter sitzt ein Herr, der alle Rosen auf einmal kauft und Dir den riesigen Strauß mit den Worten überreicht: „Sie gefallen mir, ich würde Sie gern kennenlernen." (... und das ist ein liebevolles Signal!). Verunsichert und irritiert nimmst Du das Blütengeschenk entgegen (oder lehnst es ab), während Du denkst: „Der will mich ja bloß mit dem üblichen Trick in seine Wohnung locken. Mit mir nicht." Abscheu, Wut oder

Angst breitet sich in Dir aus und tritt als „schwarzes Brett vor Deinen Augen" in Kraft, das sich augenblicklich zwischen Dir und dem netten Herrn zu befinden scheint. Tatsache ist jedoch, daß dieses *nur* vor *Dir* existiert.

Ein Beispiel für männliche Singles:

Du frühstückst gerade in Deinem Stammcafé und liest die Morgenzeitung. Am Nebentisch sitzt eine Dame, die seit geraumer Zeit versucht, einen Blickkontakt zu Dir herzustellen. Jedesmal, wenn Du Deinen Kopf hebst, um eine Lesepause zu machen, lächelt sie zu Dir herüber. Du vertiefst Dich weiterhin in die Morgennachrichten, als Dir der Ober einen Zettel überreicht: „Ich, die Dame vom Nebentisch, würde gern mit Ihnen ins Gespräch kommen." (... und das ist ein liebevolles Signal!). Irritiert bittest Du die Dame an Deinen Tisch (oder beeilst Dich zu zahlen), während folgende Gedanken in Deinem Kopf kreisen: „Was will die von mir? Auch so eine Möchte-gern-Emanze, ich laß mich als Mann doch nicht ansprechen!" Widerwille, Desinteresse oder Langeweile breitet sich in Dir aus und tritt als „schwarzes Brett vor Deinen Augen" in Kraft, das sich augenblicklich zwischen Dir und der freundlichen Dame zu befinden scheint. Tatsache ist jedoch, daß dieses *nur* vor *Dir* existiert.

Lieber Single, um liebevolle Signale zu erkennen, bedarf es der Schulung *Deiner* Antennen für diese Frequenz. Möge Dir der folgende Vergleich mit einem Radiogerät ein kleines Lächeln entlocken und Deine Empfangsbereitschaft für eine liebevollere Wellenlänge aktivieren:

Da gibt es ein wunderbares, technisch einwandfreies Empfangsgerät: *Das bist Du.* Deine Bauweise ist solide und gut durchdacht, denn Du kannst jede (!) Art von Wellen empfangen. Deine einwandfreie Konstruktion schließt von vornherein jeden Fehler aus. Trotz dieser Tatsache empfängst Du seit Jahren immer nur ein und dasselbe Programm: Eine Sendung für einsame Singles, die es trotz der großen Sehnsucht nach einem Herzenspartner noch länger (!) bleiben wollen. Unaufhörlich wiederholt sich das gleiche Minus-Programm von einem weit entfernten (in der Vergangenheit liegenden) Sender, auf dessen lieblose Frequenz Du Dich irgendwann (unbewußt) eingestellt hast. Was nützt es also dem aktuellen „Sender" direkt vor Deinen Augen, liebevolle Signale zu schicken, wenn diese von *Dir* nicht angenommen werden?

Des Rätsels Lösung ist daher *nicht* im Sender (das ist der/die Aktive, der/die etwas tut, um Dir näher zu kommen) zu finden, sondern im Empfangsgerät: Und das bist *Du!* Wenn *Du* also eine andere (schönere, freudvollere, glücklichere) Melodie als bisher empfangen willst, dann mußt *Du* einen anderen (schöneren, freudvolleren, glücklicheren) Kanal einstellen.

Das bedeutet, *hellhörig* zu werden für jedes noch so kleine, liebevolle Signal:

ein Lächeln,
ein Kompliment,
ein Dankeschön,
ein Brief,
ein Geschenk,
ein Händedruck,
eine Ansichtskarte,
eine zärtliche Geste oder Berührung,
eine Einladung,
ein aufrichtiges Gespräch,
ein freundliches „Guten-Morgen" oder
eine Blume,

das Dir von einem anderen entgegengebracht wird, und dieses freudig und dankbar anzunehmen. Auch wenn Du jahrelang nur ein Programm für frustrierte Singles erlebt hast, bleibt *Dir* die Möglichkeit, eine andere Frequenz zu wählen.

<u>Indem *Du* Dich dazu entschließt, *nur noch* auf *liebevolle* Signale zu *reagieren* und die anderen (weniger liebevollen) gelassen zu registrieren.</u>

Lieber Single, bitte gib dem männlichen oder weiblichen Sender, der sich das nächste Mal vor Deinen Augen befindet, eine Chance. Das bedeutet, die eigenen Negativ-Gedanken und die hochsteigenden, unangenehmen Gefühle zwar zu registrieren, aber für diesen Augenblick *nicht* daran festzuhalten. Bleibe in jedem Fall aufgeschlossen, denn Dein kontaktsuchendes Gegenüber bietet Dir eben jetzt die reale Möglichkeit, ein neues Programm zu empfangen – insbesondere dann, wenn ein liebevolles Signal geschickt wird.

Wenn Du jemanden kennenlernst und in dessen Anwesenheit *nur* jenen Reizen folgst, die Deine Negativ-Prägungen stimulieren, erreichst Du damit nur die Bestätigung, daß Du immer noch auf die Minus-Frequenz Deiner Vergangenheit einstellt bist. Der „Sender" hat nämlich auch eine leidvolle Vergangenheit hinter sich, deren Spuren sich bei seinem Annäherungsversuch zeigen können: Obwohl er (sie) sich zu Dir hingezogen fühlt, kann sein (ihr) Kontaktversuch linkisch, schüchtern, tolpatschig, unbeholfen oder merkwürdig zum Ausdruck kommen. Wenn dies so ist, dann registriere diese Tatsache gelassen, aber vermeide es, *darauf* zu reagieren.

<u>Indem Du Dich bewußt *nur* auf das *liebevolle* Signal konzentrierst (wie oben „Blumenstrauß" oder „Lächeln"), das Dir der „Sender" zukommen läßt, öffnest *Du* Dich dem aktuellen Geschehen und wirst augenblicklich eine neue freudvollere Wellenlänge empfangen, die Du genauso *augenblicklich* in Dir spürst.</u>

Durch *Deine* bewußte Konzentration auf das Schöne, Gute, Liebevolle, das Dir da entgegengebracht wird, erreichst *Du* die Bestätigung, daß Du von jetzt an auf eine neue Frequenz eingestellt bist: auf die Wellenlänge für Singles, die es *nicht* länger bleiben wollen.

Christa und Karl:

Aus unseren Erlebnissen miteinander können wir bestätigen, daß uns nicht nur das gemeinsame Positive, sondern auch das gemeinsame Negative zusammengeführt hat. Immer wieder holte uns die Vergangenheit ein – als traurige Bestätigung dafür, daß wir noch immer auf die Wellenlänge von Enttäuschung und Schmerz eingestellt waren. Mein unbewußter Glaubenssatz „Ich bin es nicht wert, eine Frau zu sein, die man heiratet" veranlaßte Karl zu einer dementsprechenden Handlung (er suchte sich eine Freundin) und das wiederum veranlaßte mich zu einem Verhalten (ich lief davon), das seinen unbewußten Glaubenssatz bestätigte: „Es gibt keine Frau,

die unter allen Umständen bei mir bleibt." Verstrickt in die Prä-
gungen unserer beiden Vergangenheiten haben wir uns gegenseitig
ahnungslos, jedoch oft genug Schmerz zugefügt. Entweder hatte
ich ein schwarzes Brett vor meinen Augen, so daß ich seine liebe-
vollen Signale nicht mehr sah, oder er war davon betroffen, so daß
er meine Zeichen der Annäherung als solche nicht verstand. Am
Höhepunkt eines Trauerspiels zweier ratloser Singles angelangt,
ließen wir einander los, im unerschütterlichen Vertrauen auf das
Gute allen Geschehens ...

Doch unabhängig davon sandten wir einander viele liebevolle
Signale (Gedanken), begleitet vom aufrichtigen Wunsch, daß sich
unser beider Sehnsucht nach einem Herzenspartner erfüllen möge.

Lieber Single, möge Dich dieser Teil unserer Geschichte anregen,
einer neuen Idee zu folgen:

Wenn *ich* mir einen liebevollen Partner (eine liebevolle
Partnerin) wünsche, dann muß *ich* mich auf eine liebevolle Frequenz einstellen. Weil ich nur dann liebevolle
Signale empfangen (wahrnehmen, aufnehmen) kann,
wenn *ich selbst* dafür *offen* bin.

Es ist also wichtig und ausschlaggebend, auf welche Signale *Du*
Deine Aufmerksamkeit richtest, wenn sich Dir eine Dame oder ein
Herr nähert. Die folgende Geschichte ist eine Phantasiereise, auf
der Du die Ungefährlichkeit Deiner „schwarzen" Gedanken und
Empfindungen erkennen kannst, um diese von jetzt an nicht mehr
als Hindernis für Deine Freude und Dein Glück zu betrachten:

Phantasiereise

Da ist eine wunderschöne Landschaft. Du bist mitten drin und
erfreust Dich an den bunten Blumen, dem Duft des Grases und ge-
nießt den lauen Wind auf Deiner Haut. Das freundliche Licht der
Sonne überflutet die Wiese vor Dir und verzaubert die Berge rings-
umher in glitzernde Gebilde von unglaublicher Schönheit. Unend-
licher Friede ist an diesem Ort, nur das Summen der Bienen ist zu
hören und das Singen der Vögel in den Bäumen. Beschwingt und
voll Freude genießt Du Deinen Spaziergang und fühlst Dich unsag-

bar wohl. Hier gibt es so viel zu bewundern, das Du noch nie zuvor gesehen hast. Du betrachtest den klaren blauen Himmel, der Dich hier wie ein riesiges Dach beschützt. Und während Du langsam weiterschlenderst, siehst Du plötzlich einen winzigen schwarzen Punkt am Horizont. Und weil Du weißt, daß Dir nichts Böses geschehen kann, blickst Du fröhlich und gelassen zu ihm hin. Aber Du registrierst auch, daß der Punkt auf Dich zukommt und dabei immer größer wird, bis er als schwarze Riesenkugel knapp vor Dir zum Stillstand kommt. Ruhig und gleichmütig betrachtest Du sie und fühlst, daß sie gar nicht so gefährlich ist, wie sie aussieht. Ihr einziger Nachteil ist ihre Größe ... Denn die schwarze Kugel ist so groß, daß sie Dir die Sicht auf alles Schöne hier versperrt. Und deshalb kannst die Wunder ringsumher nicht mehr wahrnehmen, weil Du nur noch „schwarz" siehst ... Leider fällt Dir nicht ein, daß Du Dich ja nur umdrehen oder Deinen Blick nach rechts oder links wenden müßtest, um die Farbenpracht und das Licht der Sonne wieder zu sehen, das Dich zuvor so entzückt hat. Unentwegt fixierst Du das mächtige Hindernis. Und plötzlich verwandelt sich die schwarze Kugel wie durch Zauberhand in den Film Deiner Vergangenheit. Alles, was Du mit früheren Partnern erlebt hast, wird noch einmal lebendig. Du siehst Dich in verschiedenen Szenen ganz deutlich, aber Du weißt, es ist vorbei. Und siehe da, in diesem Augenblick verwandelt sich Deine Vergangenheit in eine schillernde Seifenblase, die jetzt vor Deinen Augen zerplatzt. Ein Schmetterling setzt sich auf Deine Hand, und während Du ihn glücklich und dankbar betrachtest, verstehst Du sein liebevolles Signal an Dich: Lebe im Jetzt *und freu Dich!*

Um für liebevolle Signale hellhörig zu werden, mußt Du also einen Schritt „beiseite" gehen, was die Negativ-Prägungen Deiner Vergangenheit betrifft. Dieser Schritt wird Dir leicht fallen, wenn Du Deine Vergangenheit *einmal* bewußt anschaust: „So war es und daran kann ich nichts mehr verändern." und sie dann *für immer* losläßt: „Ich lebe *jetzt* und freue mich über jedes liebevolle Signal, das mir geschenkt wird."

Nur wenn *Du* ein für alle Mal aus dem Schatten Deiner schwarzen Kugel heraustrittst, können Dich alle Wunder erreichen, die Dir gehören.

Der erwünschte Endzustand

Im Laufe Deines unerwünschten Single-Daseins hast Du Dir bestimmt schon oft die Frage gestellt, warum Du noch immer keinen Partner (keine Partnerin) hast, der (die) wirklich so ist, wie *Du* ihn (sie) Dir vorstellst.

Vielleicht hat Dir dieses Buch bereits eine Antwort auf diese Frage ermöglicht. Mit diesem Abschnitt biete ich Dir noch einen Impuls an: In Deinem Innersten befindet sich nicht nur *ein* Partner(innen)-Bild, sondern *zwei*: *Das Plus-Bild und das Minus-Bild.*

Und nachdem Du noch immer Single bist, obwohl Du es *nicht* sein möchtest, darf ich davon ausgehen, daß Du bis jetzt Dein *Minus-Bild* verfolgt hast, ohne etwas davon zu ahnen.

Dein Minus-Bild von einem Mann beziehungsweise einer Frau ist als „Inneres (männliches oder weibliches) Negativ" in Deinem Unterbewußtsein gespeichert und wartet sozusagen auf einen bestimmten Reiz (Auslöser!), damit es sich (für *Dich* leider enttäuschend) bestätigen kann. Wenn Du also eine Frau oder einen Mann kennenlernst, die (der) Dir bestimmte Minus-Reize als Auslöser bietet, projizierst Du augenblicklich Dein Inneres Negativ auf sie (ihn).

<u>*Du* siehst also in Deinem Gegenüber eine Person, die Dir Schmerz zufügen möchte oder Dir schaden will, obwohl dies nicht so ist!</u>

Wenn Du Dein Gegenüber durch den Filter *Deines* Minus-Bildes wahrnimmst, vermag selbst ein Engel vor Deinen Augen nichts daran zu ändern, weil *Du es bist*, der in ihm eine böse Hexe oder einen giftspeienden Drachen sieht ...

Märchen

Es war einmal ein Mann mit einer himmlischen Vorstellung von seiner Traumfrau im Herzen. Dieses liebliche Bild trieb ihn fest entschlossen voran, denn er wollte diese Frau auf jeden Fall finden. Auf seiner Suche begegnete er vielen weiblichen Wesen, die allesamt bis auf einen einzigen Punkt seiner Vorstellung entsprachen.

Unzählige Male wiederholte sich dasselbe Spiel: Nach ein paar Monaten des Zusammenseins wurde der Mann verlassen und blieb allein zurück. Für den Helden dieser Geschichte wurde es langsam, aber sicher zur Gewißheit, daß er seine Traumfrau niemals finden würde. Von seiner Herzenvision am weitesten entfernt und erfüllt von Kummer und Enttäuschung verfolgte er längst sein inneres Minus-Bild, ohne es zu wissen: „Jede Frau verläßt mich, und deshalb sind alle Frauen böse und gemein." Um dem Leidensdruck des Verlassenwerdens entgegenzuwirken, hatte sich unser Held mittlerweile allerlei Abwehrstrategien angeeignet, die er schlichtweg jeder „neuen" Frau gegenüber praktizierte. Ja, er forderte das Verlassenwerden durch sein Benehmen geradezu heraus! Und daher mußte es so sein, daß er immer und immer wieder sein Minus-Bild bestätigt sah. Vom ewigen Suchen müde und verzweifelt, begegnete der Mann eines Tages einem Engel in Frauengestalt. Der Himmel wollte nämlich nicht länger zusehen, wie sehr er darunter litt, daß sich sein Herzenswunsch nicht zu erfüllen schien. Es mußte also so sein, daß er sich auf den ersten Blick in den Engel verliebte. Im Glanz des Verliebtseins erinnerte sich der Mann augenblicklich wieder an das Bild seiner Traumfrau. Überglücklich wollte er schon denken: „Ich hab sie gefunden!" – doch dann holte ihn wieder das Minus-Bild seiner Vergangenheit ein ... (dabei hatte der Engel nur irgend etwas Belangloses gesagt!). Von einer Sekunde zur anderen verwandelte sich in seinen Augen das engelhafte Wesen in ein egoistisches Monstrum. Enttäuscht und geschockt von seiner eigenen Projektion stieß er die liebliche Himmelsgestalt von sich weg – fest entschlossen, sich auch von dieser Frau nichts gefallen zu lassen! Und so kam es, daß der Held dieser Geschichte wieder einsam und allein war. Da der Engel jedoch in einer anderen Wirklichkeit lebte, konnte ihm das grausame Spiel nichts anhaben. Er blieb, wenn auch unsichtbar, liebevoll mit dem Helden verbunden, und so verwirklichte sich allmählich sein längst vergessener Traum ...

Lieber Single, mag auch dieses Märchen etwas *zu* einfach klingen, kann trotzdem ein Lichtblitz enthalten sein, der Deine brennende Frage: „Warum fand ich bis jetzt nicht die Frau (den Mann), den *ich* mir wünsche?" beantworten kann:

Weil mir das Leben immer das beschert, woran *ich* glaube und wovon *ich* zutiefst überzeugt bin – im Positiven wie im Negativen.

Wenn Du also *Dein Minus-Bild* (wenn auch unbewußt) verfolgst, wird Dir das Leben dieses Bild bestätigen. Richtest Du jedoch Deine Überzeugung auf Dein Plus-Bild, also auf das *wahre Bild Deines Herzens*, werden wundersame Zufälle in Deinem Leben geschehen, damit es sich verwirklichen kann, *weil Du auf der Welt bist, um glücklich zu sein.*

Um Deinen erwünschten Endzustand (eine glückliche Partnerschaft mit einer Frau (einem Mann), wie *ich* sie (ihn) mir vorstelle) auch wirklich zu erreichen, ist es demnach notwendig,

1. daß Du Dir *Dein* bisheriges Negativ-Bild von einem Mann (einer Frau) bewußt machst,

2. daß Du *Deine* Ideal-Vorstellung von einem Partner (einer Partnerin) genau kennst und

3. daß Du bereit bist, *Dein* Selbstwertgefühl auf jenes Niveau anzuheben, das Du mit Deinem Plus-Bild (also mit dem Wunsch Deines Herzens), verbindest.

Dein Traum kann sich nämlich nur dann erfüllen, wenn *Du* Dich seiner wert fühlst.

Das bisherige Negativ-Bild

Wie schon aus der obigen Phantasiegeschichte erkennbar, projizierst Du wahrscheinlich *Dein* derzeitiges, inneres Bild von einem Mann (einer Frau) auf einen unbekannten Mann (eine unbekannte Frau). Deshalb glaubst Du, daß Dein neuer Freund (Deine neue Freundin) genau dieselben (miesen) Eigenschaften besitzt wie Dein früherer Gefährte. Um Dein inneres Negativ-Bild noch besser zu begreifen, mußt Du aber noch ein bißchen weiter ausholen: Der erste Mann, der Deine inneren Bilder mitgeprägt hat, war Dein Vater, und die erste Frau, die Dich gefühlsmäßig berührt hat, war Deine Mutter. Das, was Du von Deinen Eltern in den ersten Lebensjahren *bekommen und erfahren* hast, bestimmt zum Großteil bis heute noch

Dein Bild von einem Mann beziehungsweise einer Frau – und zwar solange, bis *Du* Dich entschließt, Dir selbst ein neues Bild zu machen.

Wenn Du also etwas mehr über Dein derzeitiges inneres Bild erfahren willst, kann Dich eine genaue Beschreibung Deiner Eltern dort hinführen. Indem du ihren Charakter, ihre Verhaltensweisen und ihren Umgang miteinander erforschst, wirst Du deren Mitgift an Dich leicht herausfinden. Die nachfolgende Übung soll all das Schöne und Positive, das Dir Deine Eltern geschenkt haben, auf keinen Fall schmälern oder in Frage stellen. Wenn Du Dir aber die kleine Mühe machen willst, das weniger Schöne nochmals anzuschauen, kannst Du wertvolle Hinweise für *Dein* unbewußtes Minus-Bild von einem Mann oder einer Frau herausfinden.

Das unbewußte Minus-Bild entdecken

1. Mein Vater ist (war) ein _____ Mann.
   (setze das erste Wort, das Dir einfällt, hier ein)

2. Seine größte Stärke:_____

3. Seine größte Schwäche:_____

4. So ist (war) er zu meiner Mutter:
   (was Dir unangenehm auffiel) _____
   _____

5. So ist (war) er zu mir, als ich ein Kind war:
   (was Dir unangenehm war, wovor Du Angst hattest) _____
   _____
   _____
   _____
   _____

6. Meine Mutter ist (war) eine _____ Frau.
   (wieder das erste Wort, das Dir einfällt)

7. Ihre größte Stärke: _____

8. Ihre größte Schwäche: _____

9. So ist (war) sie zu meinem Vater:
   (was Dir unangenehm auffiel)_____
   _____

10.So ist (war) sie zu mir, als ich ein Kind war:
   (was Dir unangenehm war, wovor Du Angst hattest) _____
   _____
   _____

Für männliche Singles:

Du kannst nun davon ausgehen, daß ein Großteil der Eigenschaften Deines Vaters in Dir verankert sind. Daher kann es sein,
daß Du Dich als Mann in vielen Bereichen Deines Lebens ebenso
verhältst wie Dein Vater. Für Dein inneres Frauenbild ist die
Beschreibung Deiner Mutter von wesentlicher Bedeutung. So
wie *Du* Deine Mutter als Kind erlebt hast, mag auch heute noch
Dein inneres Bild von einer Frau aussehen, das Du auf jedes
weibliche Wesen, das Dir näherkommen möchte, projizierst. Und
deshalb glaubst Du, daß alle Frauen so sind wie Deine Mutter.
   Der Eindruck, den Du von Deinem Vater hast, bestimmt eher
die Art und Weise, *wie* Du Beziehungen zu weiblichen Wesen
herstellst, während die Erfahrungen, die Du mit Deiner Mutter
hattest, mitbestimmen, *was* Du (auch heute noch als Erwachsener) brauchst, um Dich von einer Frau geliebt zu fühlen.

Für weibliche Singles:

Du kannst nun davon ausgehen, daß Du einen Großteil der Eigenschaften Deiner Mutter übernommen hast. Daher kann es sein, daß Du Dich in vielen Bereichen Deines Lebens ähnlich wie Deine Mutter verhältst. Für Dein inneres Männerbild ist die Beschreibung Deines Vaters aussagekräftig. So wie *Du* Deinen Vater als Kind erlebt hast, mag auch heute noch Dein inneres Bild von einem Mann aussehen, das Du auf jedes männliche Wesen, das Dir näherkommen möchte, überträgst. Und deshalb glaubst Du, daß alle Männer so sind wie Dein Vater.

Der Eindruck, den Du von Deiner Mutter hast, ist ausschlaggebend für die Art und Weise, *wie* Du Dich männlichen Wesen gegenüber verhältst, während die Erfahrungen, die Du mit Deinem Vater gemacht hast, mitbestimmen, *was* Du (auch heute noch als Erwachsene) brauchst, um Dich von einem Mann geliebt zu fühlen.

Mit Hilfe dieser kurzen Analyse kannst Du Dir nun Dein Minus-Bild wie ein Puzzle vorstellen: Die ersten beiden Steine sind die Mitgift Deiner Eltern und alle weiteren sind mehr oder weniger deren Kopien:

So wie Dir Deine Eltern Liebe vermittelt haben, willst Du sie auch heute noch erfahren (obwohl Du damit *nicht* glücklich bist!), weil Du noch immer das Frauen-(Männer-)Bild Deiner Kindheit verfolgst, ohne Dir dessen bewußt zu sein.

Ein Beispiel für männliche Singles:

Wenn Du als kleiner Junge von Deiner Mutter als Sündenbock für alles mögliche behandelt wurdest, hast Du die Liebe der ersten Frau in Deinem Leben auf solche Art erfahren. Dein inneres Bild wäre dann: „Liebe ist, wenn ich Schuld auf mich nehme (obwohl ich gar nicht schuld bin!)."

Dein Minus-Bild von einer Frau wurde geprägt: „Ich fühle mich geliebt, wenn mich ein weibliches Wesen als Sündenbock benutzt", das bedeutet, daß *Du* Dich von einer Frau nur angenommen (anerkannt) fühlst, wenn Du ihr gegenüber Schuldgefühle hast.

Beispiel:

Ich bin daran „schuld", wenn meine Partnerin
miese Laune hat,
immer kränker wird,
mit ihrem Leben nicht zurecht kommt,
ohne mich nicht existieren kann,

und daher dürfen sich *meine* Bedürfnisse, Träume und Wünsche nicht erfüllen.

Dieses Minus-Bild *in Dir* bewirkt, daß Du immer wieder Frauen anziehst, die Dich zum „Schuldigen" (für *deren* Schwierigkeiten!) stempeln.

Ein Beispiel für weibliche Singles:

Wenn Du als kleines Mädchen von Deinem Vater roh behandelt wurdest, hast Du die Liebe des ersten Mannes in Deinem Leben auf solche Art erfahren. Dein inneres Bild wäre dann: „Liebe ist, wenn ich grob behandelt werde (obwohl ich Zärtlichkeit verdient habe!)."

Dein Minus-Bild von einem Mann wurde geprägt: „Ich fühle mich geliebt, wenn ein männliches Wesen grob oder brutal mit mir umgeht", das bedeutet, daß Du Dich von einem Mann nur angenommen (anerkannt) fühlst, wenn Du Dir alles gefallen läßt:

Beispiel:

Ich bin einverstanden, wenn mich mein Partner
anschreit,
beschimpft,
quält,
zappeln läßt (physisch oder psychisch),

und deshalb darf ich keine eigenen Bedürfnisse, Träume und Wünsche haben.

Dieses Minus-Bild *in Dir* bewirkt, daß Du immer wieder Männer kennenlernst, die *deren* (nicht aufgelöste) Wut an Dir auslassen.

Die Ideal-Vorstellung

Vielleicht hast Du Lust, Dich ein wenig zu entspannen und die Augen zu schließen. Laß Deine Alltagsgedanken einfach weiterziehen. Es ist niemand da, der Dich stört, so daß Du Dich den Bildern Deiner Phantasie vollkommen überlassen kannst. Du bist jetzt allein mit Deiner Vision, die Du von Deiner Traumfrau (Deinem Traummann) hast. Es ist dieses einzigartige, unvergeßliche Bild in Deinem Herzen, von dem Du schon immer träumtest. Laß es einfach lebendig werden und spüre genau hin. Du siehst das Bild Deines Wunschpartners (Deiner Wunschpartnerin) jetzt vor Dir. Du erfaßt sein (ihr) innerstes Wesen, siehst seine (ihre) Gestalt, riechst den Duft seiner (ihrer) Haut, erfreust Dich an seinem (ihrem) Lächeln. Wenn Du möchtest, lasse einen kleinen Film ablaufen und vertraue den Bildern, die auftauchen. Du siehst Dich in verschiedenen Szenen mit Deinem Traumpartner (Deiner Traumpartnerin) und spürst, wie Dein Herz aufgeht. Ein Strom von Freude und Dankbarkeit fließt durch Deinen Körper, weil Du jetzt so richtig glücklich bist ...

Lieber Single, es ist ganz wichtig, daß Du eine genaue Vorstellung von dem Menschen hast, mit dem Du in einer Partnerschaft leben willst, und daß Du an Dein Plus-Bild glaubst. Es ist nämlich *kein* „Zufall", daß auch Du ein solches Bild in Deinem Herzen trägst. Denn würde dieses Ideal-Bild *nicht* Deinem wahren Wesen entsprechen, wäre es Deiner Phantasie gar nicht möglich, ein solches hervorzubringen.

Mein Traumpartner – meine Traumpartnerin

Seine (ihre) äußere Erscheinung:

Am wichtigsten ist mir, daß er (sie) ...

In folgenden Punkten bin ich kompromißbereit:

Seine (ihre) charakterlichen Tugenden:

Am wichtigsten ist mir, daß er (sie) ...

In folgenden Punkten bin ich kompromißbereit:

Diese Eigenschaften mag ich an ihm (an ihr):
(Erstelle eine Rangordnung: das wichtigste bekommt am meisten,
das unwichtigste am wenigsten Punkte)

Beispiel: ****** Gepflegtes Äußeres
***** Frühaufsteher(in)
**** kulturell interessiert
*** Ordnungssinn
** Geselligkeit
* Tierliebe

Wenn ich mir vorstelle, daß wir _____

_____,

bin ich am allerglücklichsten.

Beispiel:
Wenn ich mir vorstelle, daß wir Hand in Hand einschlafen, bin
ich am allerglücklichsten.

Es kann sein, daß Du Dir nicht sofort ein umfassendes, klares
Bild von Deinem Ideal-Partner (Deiner Ideal-Partnerin) vorstellen
kannst. Wenn dies so ist, dann ergänze Deine Beschreibung, wann
immer Dir etwas dazu einfällt. Auch ist es nicht notwendig, ver-
krampft darüber nachzusinnen, welche Tugenden er (sie) haben soll
und welche nicht. Betrachte die obige Übung einfach als kreative
Beschäftigung, die Dich glücklich stimmt. So wird Dein Bild immer
klarer und deutlicher werden. Wenn Du Dir eines Tages ganz sicher
bist, dann kannst Du Deine Vision der weisen Führung Deines Innersten überlassen. Das bedeutet, daß Du Dein Plus-Bild einer überaus
weisen, höheren Intelligenz übergibst, die als göttlicher Funke in
Dir beheimatet ist. Der folgende Text ist als Anregung gedacht, Deine
eigenen Worte zu finden:

Zwiesprache mit meinem Innersten

*Auf meiner Suche nach Liebe bin ich oft gestolpert, niederge-
fallen, zurückgelaufen. In meiner Verzweiflung habe ich viele Fehler
gemacht. Mein Bedürfnis nach Liebe ließ mich manchmal auf eine
Weise handeln, die mit dem Ruf meines Herzens nicht überein-*

gestimmt hat. Und so entfernte ich mich immer mehr vom Bild meiner Träume, das Gott in mein Herz gepflanzt hat. Alles mögliche habe ich versucht, um meiner Einsamkeit zu entfliehen. Ich habe mich angestrengt und gekämpft, ich habe gelitten und war oft grausam zu mir selbst, weil ich vergessen habe, auf mein Herz zu horchen. Dankbar und voll Freude erkenne ich jetzt, daß das Bild meines Herzens wieder lebendig ist. Ich glaube an die Wirklichkeit meiner Vision und übergebe sie jetzt der liebevollen Intelligenz Gottes, auf daß sie sich erfülle. Alles, was von nun an geschieht, ist gut für mich, weil es zur Verwirklichung meines Traumes beiträgt. Ich bin bereit, alles willkommen zu heißen, was für mich notwendig ist, und stets den Impulsen meines Herzens zu folgen. Mag sein, daß die Vorstellung meines Traummannes (meiner Traumfrau) einige Punkte enthält, von denen ich glaube, daß sie besonders wichtig für mich sind. Da mich Gott aber besser kennt, als ich mich kenne, überlasse ich diese seiner Weisheit und Liebe.

Selbstwertgefühl steigern

Wenn Du dieses Schlagwort in einzelne Teile zergliederst, ist Deine Frage, was „Selbstwertgefühl" eigentlich ist, sogleich beantwortet: „Ich bin mir dieses oder jenes *selbst wert.*" oder „Diesen *Wert* gebe ich mir *selbst.*"

Welchen Partner (welche Partnerin) Du früher an Deiner Seite hattest, kann Dir eine wertvolle Information über Dein Selbstwertgefühl sein.

Dein Bedürfnis nach Liebe entsteht aus einem Manko an Selbst-Liebe, und daher geschieht es nur allzu leicht, daß Du Dein *Bedürfnis* nach Liebe mit der Liebe als solche verwechselst.

Das, was Du wahrhaftig suchst, kann auch so ausgedrückt werden: „Ich liebe mich selbst im anderen, und das spüre ich in meinem Herzen." Das bedeutet, daß Du in Deinem Partner (in Deiner Partnerin) den Spiegel Deines momentanen Selbstwertgefühls täglich vor Augen hast, solange Du ihn (sie) von Herzen magst: Das, was er (sie) darstellt und wie er (sie) dem Wesen nach ist, bist *Du Dir* zur Zeit in der Liebe *wert.*

Wenn Dein Herz im Beisein Deines Partners (Deiner Partnerin) *nicht* spricht (wenn es nicht vor Freude hüpft, wenn es nicht vor Liebe brennt, wenn es nicht laut klopft ...), kannst Du Dir zwei Fragen stellen:

1. „Bin ich mir das selbst *noch* wert, was jetzt mein Partner (meine Partnerin) darstellt?"
2. „Bin ich mir das selbst vielleicht *noch nicht* wert, was ich in ihm (ihr) sehe?"

zu 1.:

Wenn Dir Dein Partner etwas vorlebt oder sich in einer Weise verhält, die *nicht* (mehr) *Deinem* Bild von Zweisamkeit entspricht, dann spürst Du in Deinem Innersten eine Art Grenze, die Dein Liebesgefühl zum Verschwinden bringt. Die obige Frage an Dich selbst kannst Du in diesem Fall auch anders formulieren: „Wenn mein Partner (meine Partnerin) dieses oder jenes tut und ich damit einverstanden bin, kann ich mir selbst dann noch in die Augen sehen? Bin ich mir das noch wert?"

Ein Beispiel für weibliche Singles:

Du erfährst durch einen Zufall (!), daß Dein Partner seit Monaten eine Geliebte hat. Dein Liebesgefühl für ihn ist augenblicklich weg, und Du weißt nicht, was Du tun sollst: „Kann ich mir selbst noch in die Augen sehen, wenn ich damit einverstanden bin, daß _____ _____ (Name) nicht treu ist? Bin ich mir das wert?"

Ein Beispiel für männliche Singles:

Deine Partnerin teilt Dir mit, daß ein längerer Auslandsaufenthalt ansteht, weil sie sich beruflich selbständig machen will. Dein Liebesgefühl für sie ist augenblicklich weg, und Du weißt nicht, was Du sagen sollst: „Kann ich mir selbst noch in die Augen sehen, wenn ich damit einverstanden bin, daß _____ ihr eigenes (und kein gemeinsames) Lebensziel hat? Bin ich mir das wert?"

Mußt Du diese Frage mit *nein* beantworten, dann sage Deinem Partner (Deiner Partnerin) ehrlich und liebevoll, was Du empfindest: „Ich bin mit Deinem Verhalten nicht einverstanden, weil es nicht *meiner* Vorstellung von Liebe und Partnerschaft entspricht." Ein solch aufrichtiges Bekenntnis wird Dein Selbstwertgefühl enorm steigern.

zu 2.:

Es kann sein, daß Du Dich in eine Frau (einen Mann) wie vom „Blitz getroffen" auf den „ersten Blick" verliebst und trotzdem in Deinem Innersten eine Grenze spürst. Irgend etwas hemmt Dich, Dein Liebesgefühl zum Ausdruck zu bringen, und Du weißt nicht, was Du tun sollst: „Kann ich mir selbst noch in die Augen sehen, wenn ich mich so wie diese faszinierende Frau (dieser faszinierende Mann) verhalte? Bin ich mir das wert?"

Ein Beispiel für weibliche Singles:

Du hast Dich in einen sogenannten „Aussteiger" verliebt, der seinen Job aufgegeben und sein Haus verkauft hat – und das fasziniert Dich an ihm. Trotzdem fühlst Du Dich in seiner Nähe irgendwie gebremst und vermagst Deine Zuneigung nicht auszudrücken: „Kann ich mir selbst in die Augen sehen, wenn ich mich genauso für meine Freiheit einsetze? Bin ich mir das wert?"

Ein Beispiel für männliche Singles:

Du hast Dich in ein sogenanntes „Hausmütterchen" verliebt, das viel Zeit mit ihrer Familie verbringt und sich hauptsächlich mit Haus und Garten beschäftigt – und das fasziniert Dich an ihr. Trotzdem fühlst Du Dich in ihrer Nähe irgendwie gehemmt und vermagst Deine Zuneigung nicht auszudrücken: „Kann ich mir selbst in die Augen sehen, wenn ich genauso familiär, häuslich und naturverbunden bin? Bin ich mir das wert?"

Mußt Du diese Frage mit *nein* beantworten, kannst Du daraus schließen, daß *Du* es Dir jetzt *noch* nicht wert bist, diesen Mann oder diese Frau als *Dein* Plus-Bild anzunehmen. Und doch war es ein *Zu*-fall (!), daß Du Dich in ihn (sie) verliebt hast und von ihm (ihr) fasziniert bist. Das bedeutet, daß Dein bisheriges, inneres Bild von einem Mann (einer Frau) im Begriff ist, sich in ein anderes zu verwandeln, das mit genau diesem Mann (genau dieser Frau) zu tun hat. Er (sie) lebt Dir etwas Bestimmtes (Freiheit, Häuslichkeit, Familiensinn etc.) vor, was *Dein* Selbstwertgefühl enorm steigern wird, wenn Du bereit bist, diesen Wesenszug von ihm (von ihr) in *Dein* Wesen aufzunehmen.

> <u>Das, was Dich an Deinem Gegenüber fasziniert, ist genau das, was *Du Dir* bis jetzt nicht erlaubt oder zugestanden hast, obwohl sich *Dein Innerstes* danach sehnt!</u>

Solange Dein Herz spricht, ist Dein momentaner Partner (Deine momentane Partnerin) exakt das, was *Du Dir* zur Zeit *selbst wert* bist. Jedes aufrichtige Ja oder Nein, zu dem Du Dich selbst bekennst, steigert Dein Selbstwertgefühl. Und das wiederum brauchst Du, damit sich *Deine* Vorstellung eines Tages verwirklichen kann: „Ich bin es mir wert, dem Mann (der Frau) zu begegnen, der (die) *meinem* Ideal-Bild entspricht."

Du kannst also Deinen Traumpartner (Deine Traumpartnerin) nur dann treffen, wenn *Du* das ihm (ihr) entsprechende Liebesniveau (= Selbstwertgefühl) erreicht hast.

Ein Beispiel:

Wenn Du auf der obigen Liste als Dir wichtigste Charaktereigenschaft „Toleranz" eingetragen hast, müßtest Du Dir selbst (Deinen Fehlern, Schwächen und Unzulänglichkeiten) gegenüber tolerant sein und in jeder Situation auch für andere Toleranz aufbringen können.

Zusammenfassung

Um meinen erwünschten Endzustand „Eine glückliche Partnerschaft mit einem Mann (einer Frau), wie *ich* sie (ihn) mir wünsche" zu erreichen, bin ich bereit

❤ mir mein bisheriges Minus-Bild bewußt zu machen und es loszulassen,

❤ meine Idealvorstellung von einem Partner (einer Partnerin) zu formulieren, indem ich den Bildern meines Herzens Glauben schenke, die Vision meines Herzens der Liebe und Weisheit Gottes zu übergeben,

❤ mich in jeder Situation aufrichtig zu mir selbst zu bekennen: „*Ja,* das bin ich mir wert." oder „*Nein,* das bin ich mir nicht (mehr) wert."

Das Glück des Augenblicks

Seit jeher haben sich Menschen darüber Gedanken gemacht, was *Glück* eigentlich ist. Man kann es nicht kaufen, nicht erreichen, nicht erzwingen, nicht festhalten ... Glücklich kann man nur *sein.*

Vielleicht möchtest Du kurz Deine Augen schließen und Dich an ein Erlebnis oder eine Situation erinnern, in der Du so richtig *glücklich* warst ... Laß diese Szene jetzt lebendig werden und spüre noch einmal Deine Freude und Dein Glücksgefühl. Richte Deine Aufmerksamkeit nur auf Dich selbst. Kannst Du Dein Gesicht sehen? Deine leuchtenden Augen, Deinen lachenden Mund? Laß Dich ganz in den damaligen Augenblick hineinfallen, als wäre er genau jetzt.

> Was immer es für eine Situation war, die Dich so glücklich stimmte, war das Glück eine Qualität, die in *Deinem* Innersten vorhanden war, Dein Herz höher schlagen ließ, Dein ganzes Wesen erfüllt hat.

Es war also *Dein* innerer Zustand, der das damalige Ereignis in Augenblicke des Glücks verwandelt hat. Du magst daraus die Schlußfolgerung ziehen, daß Glück unabhängig von allem Äußeren ist.

Vielleicht bist Du der Meinung, daß Du erst dann glücklich sein wirst, wenn Du etwas Bestimmtes erreicht hast:

> eine höhere berufliche Position,
> eine größere Wohnung,
> ein eigenes Haus,
> ein neues Auto,
> einen Lottogewinn.

Mag sein, daß Du besonders glücklich bist, wenn Du Dein Ziel erreicht hast, und das sei Dir von Herzen vergönnt. Dein Glück in

Frage zu stellen, ist auch nicht mein Anliegen. Vielmehr will ich Dir noch eine Idee dazu anbieten:

Glück ist ein Geschenk, das ich mir in jedem Augenblick selbst geben kann, weil Glück ein Zustand *in mir* ist, den nur *ich selbst* zu aktivieren vermag.

Christa:

Ich beschreibe das nachfolgende Erlebnis in der Gegenwart. Für mich waren es Augenblicke des Glücklichseins, zu einem Zeitpunkt, in dem die Scherben unserer Beziehung als zerbrochene Illusion vor mir lagen. Der tiefere Sinn dieser Glücksmomente wurde mir erst viel später bewußt. Ich möchte ihn dankbar an Dich weitergeben:

Seit Wochen befindet sich unsere Partnerschaft in einer argen Krise. Das Schloß meiner Illusionen (das aufgrund einer rosaroten Brille entstanden war!) ist eingestürzt, und ich nehme langsam immer deutlicher wahr, was sich (wenn auch schonungsvoll verborgen) vor meinen Augen abspielt: Mein Freund hat ein Verhältnis und eine Beziehung mit einer anderen Frau. Diese Tatsache anzunehmen ist eine Prüfung für mich, die meine innerste Überzeugung arg auf die Probe stellt:

Daß *Liebe* uns verbindet, deren Ausdruck ich im Moment nicht begreifen kann.

Meine Stimmungen wechseln rasch. Oft überkommt mich eine entsetzliche Traurigkeit, die mir meine Lage um so mehr bewußt macht. Phasenweise werde ich von Ängsten und Verzweiflung geschüttelt und spüre einen brennenden Schmerz in meinem Herzen. Und doch gelingt es mir immer wieder, ein Gefühl des Friedens in mir herzustellen, das ich empfinde, wenn ich Karl mit guten Gedanken und all meiner Liebe loslasse. Im Vertrauen darauf, daß er und ich in unsichtbaren, gütigen Händen sind, die nur das Beste für uns beide wollen.

Heute ist Mittwoch, ein Tag wie jeder andere. Mein Unterricht (ich bin Lehrerin) schließt um 18 Uhr. Ich verlasse das Schulgebäude, um mich auf den Weg zum nahen Hallenbad zu machen, als mich jemand ruft: „Christa!" Der Augenblick ist zu kurz, um zu überlegen, was ich jetzt tun soll – ich komme nicht mehr dazu, meinen Verstand einzuschalten, der mir meine Beziehungssituation in diesem Moment vor Augen halten könnte, denn das einzige, was ich jetzt in mir spüre, ist Freude. Und so laufe ich erfüllt von Freude, Glück und Liebe geradewegs in die Arme meines Freundes, spüre die Wärme unserer Umarmung, fühle die Vertrautheit, die uns in diesem Augenblick verbindet, Tränen der Rührung schießen mir in die Augen, die ich heimlich wegwische, während wir Hand in Hand weitergehen.

„Ich hab Dich schon so lange nicht mehr abgeholt, Hasi." Die zärtlichen Worte meines Freundes sickern in mein offenes Herz. Augenblicke des Glücks reihen sich aneinander. Ich fühle mich eins mit mir selbst. Mein innerer Glückszustand hebt mich augenblicklich in eine neue Dimension. Es ist, als würde ich meinem Freund auf einer anderen Ebene begegnen, während wir im warmen Sprudelbecken unsere Geistesblitze für das Buch austauschen, das jetzt vor Dir liegt. Und ich spüre ganz deutlich unser beider Sehnen, daß diese Augenblicke niemals enden mögen ...

Doch schon der erste Versuch (der sich in einem nachfolgenden gemeinsamen Abendessen ausdrückt), das Glück festzuhalten, scheitert. Die Stunde des Verabschiedens rückt näher, und die traurige Tatsache meiner Beziehungssituation nimmt wieder von mir Besitz ...

Den Fakten nach – ein Mann holt eine Frau vom Arbeitsplatz ab, und sie besuchen gemeinsam ein Hallenbad mit anschließendem Abendessen – mag dieses Erlebnis nichts Besonderes sein. Für mich waren jedoch zwei Geschenke enthalten, die ich wie folgt beschreiben möchte:

Das erste:

Glück ist, wenn sich mein Herz dem aktuellen Augenblick öffnet und bedingungslos einen anderen Menschen hereinläßt.

Das zweite:

Nachdem ich mein Glücklichsein nicht immer in mir bewahren kann, muß es *mir* noch an ein paar Qualitäten mangeln, die mit dauerhaftem Glück zu tun haben – und diese gilt es zu entwickeln.

Woran es in mir gemangelt hat, will ich nachfolgend beschreiben, um Dich, lieber Single, zu ermuntern, Dein vielleicht ebenso mangelhaftes Glücklichsein zu hinterfragen:

Dankbarkeit
Bescheidenheit
Friede
Freiheit

Dankbarkeit

Es gibt so vieles, wofür Du dankbar sein kannst, auch wenn Du im Augenblick partnerlos und deshalb manchmal einsam und traurig bist. Anstatt Dich im Selbstmitleid zu ertränken, könntest Du zum Beispiel für alles danken, was Du hast. Deinem Ideenreichtum sind bei dieser lustigen, äußerst kreativen Beschäftigung keine Grenzen gesetzt:

> Danke für meine zierlichen Ohrläppchen,
> Danke für mein weiches Kopfkissen,
> Danke für meine beweglichen Gelenke,
> Danke für meinen Freundeskreis,
> Danke für den sonnigen Tag,
> Danke für meinen Appetit,
> Danke für die Parklücke,
> Danke für diesen Augenblick.

Jedes „Danke" aus der Mitte Deines Herzens trägt dazu bei, daß Dein Glücklichsein wachsen kann oder länger *in Dir* erhalten bleibt und daß Du noch mehr von dem bekommst, wofür Du dich bedankst.

Bescheidenheit:

Wer be-scheiden ist, weiß Bescheid. Das bedeutet, als wahr anzuerkennen, daß Du immer nur das bekommst, was Du verdienst. Nicht mehr und nicht weniger. Und das ist in Ordnung. Vielleicht hast Du manchmal den Eindruck, zu wenig oder das Falsche (zum Beispiel von Deinem Partner/Deiner Partnerin) zu bekommen, und deshalb forderst Du *mehr.* Wenn dies so ist, erinnere Dich bitte daran, daß Deine Bescheidenheit mitbestimmt, ob Dein Glücklichsein von Dauer ist:

Ich bekomme das, wofür ich jetzt reif bin. Nicht mehr und nicht weniger.

Wenn Dir also das Leben einen glücklichen Augenblick beschert, ist dies ein Geschenk, worüber Du Dich freuen sollst und das Deinen Dank verdient. Verknüpfst Du damit bestimmte Erwartungen oder forderst Du *mehr* (Rechte, Zärtlichkeit, gemeinsame Stunden, Gespräche, Liebe ...), bist Du nicht bescheiden genug, um dauerhaft glücklich zu sein.

Friede:

Friede entsteht *in Dir,* wenn *Du Dich* dafür entscheidest. Das bedeutet, daß Du ab sofort sämtliche **Aktionen** unterläßt, die *Dir* Deinen inneren Frieden, zu dem Du Dich entschlossen hast, rauben könnten:

streiten:	Du kannst alles, was Du willst, auch ruhig und liebevoll sagen)
kontrollieren:	Fördert es *Deinen* Frieden, wenn Du Deinem Partner/Deiner Partnerin nachspionierst?
hineinsteigern:	Es ändert Deinen Freund/Deine Freundin nicht, wenn *Du* schlaflose Nächte hast. Nur *Dein* Friede wird davon gestört.

Friede stellt sich dauerhaft in Deinem Herzen ein, wenn Du davon ausgehst, daß Dir jeder Mensch sein (!) Bestes gibt. Jeder vermag immer nur das zu geben, was er kann und wozu er imstande ist, nicht mehr und nicht weniger. Wenn Du also von einem Mann oder einer Frau etwas Schönes, Gutes, Liebevolles bekommst, solltest Du ihn (sie) bitte nicht darauf hinweisen, was er (sie) Dir *nicht* gegeben hat, sondern nur Deine Freude zeigen und Dich bedanken, weil Du damit *Deinen* Frieden und somit *Dein* Glück aufs beste förderst.

Freiheit:

Innere Freiheit zu erlangen, mag vielleicht die größte Hürde sein, die Du auf dem Weg zu dauerhaftem Glücklichsein überwinden mußt:

> Frei bist Du dann, wenn Du anderen Menschen (also auch Deinem Partner/Deiner Partnerin) die Freiheit gibst, so zu sein, wie sie sein möchten.

Dies ist kein Kunststück, wenn Dein Gegenüber in einer Weise handelt, die Dein Glücklichsein fördert und bestätigt. Dein Mangel an Bereitschaft, Freiheit zu geben (= zu lassen) mag sich erst dann zeigen, wenn der andere etwas tut, was *Dir* nicht gefällt. Wenn Du diesen Punkt überwindest und Dir sagst: *„Ich* wünsche mir innere Freiheit. Und diese habe ich nur dann, wenn ich anderen das gleiche Recht auf Freiheit zugestehe." Das bedeutet nicht, daß Du zu allem Ja und Amen sagen sollst, sondern bekundet nur Deine Bereitschaft, zu vergeben und loszulassen, und bezeugt Dein Vertrauen in das Gute allen Geschehens.

Zusammenfassung

Lieber Single, wenn Dir das Leben wieder einen Augenblick des Glücks schenkt, versuche bitte nicht, ihn festzuhalten, sondern sei von Herzen dafür dankbar. Bleibe bescheiden im Sinne der Bedeutung, daß Du nun Bescheid weißt: Jeder Mensch gibt jederzeit sein Bestes, und mehr ist ihm nicht möglich. Entscheide Dich für Deinen inneren Frieden in jeder Situation, weil Friede zum Glücklichsein gehört. Gib allen Menschen, denen Du nahe bist, das gleiche Recht auf Freiheit, wie Dir selbst: Jeder darf so sein, wie es seiner ureigensten Wahrheit entspricht. Mögen sich durch Deine Bereitschaft, dankbar, bescheiden, friedlich und frei zu sein, immer mehr Glücksmomente aneinanderreihen – als Beweise dafür, daß Du Dich auf dem besten Weg zum Glücklichsein befindest.

Kapitel 5

Die Erfüllung

Wiederholung oder Neubeginn?

Der Weg zu Deinem Herzenspartner (Deiner Herzenspartnerin), der irgendwo auf dieser Erde lebt und sich genauso nach Dir sehnt, wie Du Dich nach ihm, läuft parallel zur Entwicklung Deiner eigenen Liebesfähigkeit. Wenn Du Dir diesen Weg als Treppe mit vielen Stufen vorstellst, kannst Du bestimmt leichter nachempfinden, warum sich Dein Wunsch, ihm (ihr) zu begegnen, bis jetzt noch nicht erfüllt hat.

Da gibt es zerklüftete oder steinige Stufen, so daß Du sehr vorsichtig sein mußt, um nicht zu stolpern. Dann wieder folgen ein paar flachere, übersichtliche Stufen, die Du ganz leicht überspringst. Aber es gibt auch sehr hohe Stufen, die Du nur zu überwinden vermagst, wenn Du Dich innerlich gut darauf vorbereitest: „Ich will es schaffen." Dennoch kann es passieren, daß Du manchmal ein, zwei Stufen zurückgehen mußt, weil Du die Stufe zu hastig oder unbesonnen erklimmen wolltest. Doch hast Du in jedem Augenblick die Chance zu einem neuerlichen Versuch, den Du um eine Erfahrung reicher und frisch motiviert erfolgreich abschließen kannst.

Christa und Karl

Aus unseren gemeinsamen Erfahrungen können wir bestätigen, daß wir einige Stufen so oft wiederholen mußten, bis wir beide endlich dazu bereit waren, unsere sich stets wiederholenden Verhaltensmuster als Chance für uns selbst zu erkennen. Kurzsichtig für unsere eigenen Reaktionen erwarteten wir beide am jeweiligen Höhepunkt einer Krise vom anderen *ein verändertes Verhalten – in der festen Überzeugung, selbst ein ideales, liebevolles Gegenüber zu sein ...*

Christa

Schon als junges Mädchen hatte ich von Partnerschaft eine wunderschöne Vorstellung. Obwohl sich meine Vision von einer Großfamilie auch ein wenig verändert haben mag, so blieb dennoch mein Wunsch nach glücklicher Zweisamkeit bis heute in meinem Herzen. Als ich Karl kennenlernte, begann mein inneres Bild plötzlich zu leben und drängte mit unglaublicher Vehemenz in mein Bewußtsein. Die von mir jahrelang „auf Eis gelegte" Sehnsucht nach Wärme, Nähe und seelischer Geborgenheit kam wie ein ausbrechender Vulkan entfesselt zum Vorschein – verbunden mit dem Glücksgefühl, endlich am Ziel zu sein. Meine noch nie gestillte Sehnsucht nach Liebe in einer Partnerschaft war im Laufe meines Single-Lebens so groß geworden, daß ich gleich alles auf einmal wollte und aufgrund dieser unreifen Einstellung längere Zeit blind war für meine eigenen wenig liebevollen Verhaltensmuster ...

Je größer meine Sehnsucht nach Karls Nähe war, desto deutlicher kamen die Schattenseiten meiner „Liebe" zum Vorschein: Eifersucht, mangelnde Toleranz, Erpressungsversuche, Rechthaberei – und dementsprechend „liebesfeindlich" waren meine Aktionen. Oft genügte schon ein einziges Wort meines Liebsten (das meine wunden Punkte berührte ... Auslöser!), und schon wiederholte sich die gleiche Szene: Ich raffte meinen persönlichen Kram zusammen und verließ tränenüberströmt und „für immer" seine Wohnung. Ich weiß nicht, wie oft ich mich selbst damit ausgetrickst habe, bis ich erkannte, daß ich ja gar nicht weglaufen will(!), weil es falsch ist, den Mann zu verlassen, den ich liebe. Das Auflösen meines Verhaltensmusters „Ich gehe, wann es mir paßt" ist mir erst aufgrund meiner Bitte, Gott möge die Schuppen von meinen Augen nehmen, gelungen.

Tatsächlich führte uns dann wieder der Zufall (!) irgendwo zusammen, oder einer von uns beiden griff zum Telefonhörer aus einem spontanen Gefühl heraus. Und allmählich festigte sich mein Vertrauen in unsere Verbindung, die in weisen, unsichtbaren Händen zu liegen scheint.

Ich kann nichts mehr tun
außer still zu sein
und aus dieser Stille heraus
glauben,
daß das Richtige geschieht,
obwohl kein Weg mehr
zu sehen ist
im Dickicht unserer Beziehung.

Ich kann nichts mehr tun
außer Dich und mich
in Gottes Hand zu legen
und Dich loszulassen
im Strom des Lebens,
der uns irgendwann wieder
auf einer Sandbank
begegnen läßt.

Ich erinnere mich an meinen Geburtstag in unserem ersten gemeinsamen Jahr. Wir hatten am Vorabend eine heftige Meinungsverschiedenheit gehabt. Ich fühlte mich nach diesem Streit enttäuscht und verletzt, mißachtet und unverstanden. Also machte ich „Schluß" in der Überzeugung, mich sowohl in meinem Gefühl, als auch in diesem Mann getäuscht zu haben. Um so größer war mein Staunen, als ich Karl schon am nächsten (!) Morgen, noch dazu an meinem Geburtstag, in meinem Wohnhaus „zufällig" begegnete und dieser Zufall zu einem neuen Anknüpfungspunkt für uns beide wurde. Mein Freund hatte von seiner Firma nur einen Tag nach unserer „Trennung" einen Service-Auftrag in meinem Wohnhaus bekommen (in einer Millionenstadt mit abertausend Häusern ...).

Lieber Single, was wir beide daraus erkannt haben, ist folgende Idee: Wenn sich Dein Innerstes vorgenommen hat, einen bestimmten Entwicklungsschritt zu machen, bekommst Du immer wieder eine Chance, ihn zu tun. Das bedeutet, daß Dein inneres Streben stärker ist als Dein Verstand, der sich besonders dann gern einmischt, wenn *Du* vor *Deinem* eigenen blinden Fleck stehst und *Deine* Schwachpunkte berührt werden.

Die Wahl, ob Du eine bestimmte Situation (zum Beispiel eine Auseinandersetzung mit Deinem Partner/Deiner Partnerin) zur Wiederholung *Deines* Verhaltensmusters benutzt oder als Chance zu einem Neubeginn *(zu Deinem!)* wahrnimmst, indem Du innehältst und Dir sagst: „**Halt**, dieses Verhalten (flüchten, streiten, trotzen, weinen, stur sein ...) kenne ich schon an mir!" *liegt allein bei Dir.*

Das Wahrnehmen *Deiner* Chance genau in dem Augenblick, bevor Dein gewohntes Verhalten abzulaufen beginnt, ist ein Kunststück, das Deine ungeteilte Aufmerksamkeit und Deine geschärfte Konzentration erfordert: Das Erspüren des „Klicks", der Dein Fehlprogramm zum Ablaufen bringen kann, *ist Deine* Möglichkeit zu einem Neubeginn.

Beispiel für männliche Singles:

Deine Partnerin hat eine Leidenschaft: Sie raucht (Du selbst bist überzeugter Nichtraucher). Und obwohl sie darauf achtet, daß die gute Luft in Deinem Wohnzimmer nicht verpestet wird, dringt dennoch eine Spur ihres Lasters bis dorthin vor (Achtung Auslöser = „Rauch"!). **KLICK**. Jetzt hast Du die Wahl zwischen einer Wiederholung *Deines* Verhaltens oder einem Neubeginn:

Wiederholung

Du wirst ärgerlich, machst ihr Vorwürfe, klärst sie (zum x-ten Mal) über die Schädlichkeit des Nikotins auf, weist ihre Umarmung zurück und sagst ihr, daß sie nach Rauch stinkt – mit dem Erfolg, daß Deine gute Laune verschwunden ist und sich Deine Partnerin noch immer nicht das Rauchen abgewöhnt hat.

Neubeginn

Du registrierst ein bißchen Rauch in Deinem Wohnzimmer und öffnest das Fenster. Und wenn Du willst, kannst Du Deiner Partnerin dabei liebevoll zuzwinkern.

Beispiel für weibliche Singles:

Dein Partner hat eine Leidenschaft: Er sammelt Elektrogeräte (Dir selbst sind die vielen Kabeln und Gebrauchsanleitungen zuwider). „Ich habe heute eine Überraschung für Dich", kündigt Dein Partner am Telefon an. Den ganzen Tag über rätselst Du, was das wohl sein könnte: Ein Blumenstrauß? Eine Einladung zu einem Kurzurlaub? Vielleicht sogar ein Schmuckstück? Du hast falsch geraten. Es ist eine elektrische Fruchtzerkleinerungsmaschine (Achtung Auslöser = „Elektrogerät"!), obwohl es bereits einen elektrischen Entsafter, einen elektrischen Schnitzler, einen Mixer, einen Eierkocher und noch etliche andere gibt. **KLICK**. Jetzt hast Du die Wahl zwischen einer Wiederholung *Deines* Verhaltens oder einem Neubeginn:

Wiederholung

Du wirst ärgerlich, machst ihm Vorwürfe, daß hier kein Platz mehr ist, klärst ihn über die gute alte Zeit auf, wo man das alles nicht gebraucht hat und zeigst ihm deutlich, daß Du seine Überraschung für Dich freudlos zurückweist – mit dem Erfolg, daß *Deine* gute Stimmung verschwunden ist und Dein Partner immer noch Elektrogeräte sammelt.

Neubeginn

Du registrierst eine neue elektrische Fruchtzerkleinerungsmaschine und bittest Deinen Partner, er möge mit Dir gemeinsam die Gebrauchsanleitung durchsehen. Und wenn Du willst, kannst Du ihn dabei liebevoll anlächeln.

Diese simplen Beispiele mögen Dir bewußter machen, wie *kurz* der Augenblick Deines „Klicks" ist und wie knapp Du Dich jeweils vor Ablauf Deines Fehlprogramms befindest. Und deshalb ist Deine ungeteilte Aufmerksamkeit in jedem Augenblick so wichtig. Jedes Abschweifen in das, was morgen oder übermorgen sein wird (könnte) und jedes Verharren bei dem, was gestern oder voriges Jahr war, zieht Deine Aufmerksamkeit vom aktuellen Geschehen im Hier und

Jetzt ab. Und um so mehr bist Du gefährdet, Deinen wenig liebevollen Verhaltensmustern zum Opfer zu fallen, die allesamt zu Deiner Vergangenheit gehören und im *Jetzt* eigentlich nichts mehr verloren haben.

> Das Wiederholen Deiner Reaktionen auf etwas Bestimmtes, das Dein Partner (Deine Partnerin) sagt oder tut, hat nur den einzigen Zweck, daß Du erkennst: „*Ich bin es, der die Wahl hat, noch einmal oder noch fünfzigmal auf dieselbe Art und Weise zu reagieren* ... oder mich für *meinen* Neubeginn zu entscheiden, indem ich meinen inneren „Klick" augenblicklich als Chance wahrnehme, mich *anders* (zum Beispiel gelassen und liebevoll) zu zeigen."

Das Annehmen Deines Partners (Deiner Partnerin) mit all seinen (ihren) Eigenheiten kann nur durch Deine liebevolle Einstellung geschehen. Wenn Du nun eine Eigenschaft an ihm (ihr) entdeckst, mit der Du so gar nicht einverstanden bist, dann solltest Du ihn (sie) dies freundlich und aufrichtig wissen lassen und *Deine* Konsequenz daraus ziehen, indem *Du* Dich genauso freundlich davon distanzierst und die besagte Eigenschaft *nicht* von ihm (ihr) übernimmst:

Beispiele wie oben:

Du mußt nicht selbst zum Raucher werden, weil Deine Partnerin diese Leidenschaft hat.

Du muß nicht selbst ein Elektrogerätefreak werden, weil Dein Partner einer ist.

Wenn *Du* bereit bist, Deine Zuneigung zu Deinem Partner (Deiner Partnerin) auch dann zu bewahren, wenn sich herausstellt, daß er (sie) keine Kopie von Dir ist, sondern in vielen Punkten das Gegenteil von Dir darstellt, kann Eure Beziehung zur unerschöpflichen Quelle seelischen Wachstums werden.

Wenn *Du* bereit bist, Deine bisher gewohnte (zurückweisende) Verhaltensreaktion aufzugeben, mußt Du fest entschlossen sein, Dich auf *Deinen inneren Klick* zu konzentrieren und diesen als Chance für *Deinen* Neubeginn wahrzunehmen. Gelingt es Dir, Verständnis, Mitgefühl und Toleranz für die Eigenheiten Deines Partners (Deiner Partnerin) aufzubringen, indem Du ihm (ihr) zum Beispiel ein Lächeln schenkst, findet zugleich ein Neubeginn in Eurer Beziehung und in Eurem Umfeld statt. *Dein* liebevolleres Verhalten ist wie ein Stein, den Du in einen See geworfen hast: seine Spuren breiten sich als immer größer werdende Kreise ringsherum aus. Je größer der Stein, desto kräftiger ist seine Wirkung.

Woran erkennst Du nun, ob Du eine bestimmte Stufe auf Deiner Liebesfähigkeitsentwicklungstreppe tatsächlich überwunden und gemeistert hast? Antwort: Wenn *Dein* Wohlgefühl (Deine Gelassenheit, Deine Freude, Dein Humor, Deine gute Stimmung, Deine Zärtlichkeit, Deine Liebe ...) trotz der Eigenheiten Deines Partners (Deiner Partnerin) in einer vormals problematischen Situation erhalten bleibt.

Beispiel für männliche Singles:

Deine Partnerin hat eine Schwäche für mittelalterliche Romantik. Du selbst findest Ihre Schwärmerei für rote Rosen, Gedichte und Handküsse merkwürdig. Bis jetzt bist Du jedesmal, wenn sie Dir die Tugenden eines edlen Ritters ins Ohr geflüstert hat, ärgerlich geworden und hast den Fernseher aufgedreht, um Deine Liebste für den Rest des Abends zu ignorieren. Doch heute hast Du diese Stufe gemeistert: Kaum hatte Deine Partnerin den ersten Satz: „Früher waren die Männer viel romantischer ..." ausgesprochen, nahmst Du mit einem Lächeln den Strohhut von der Wand und Deine alte Gitarre, um ihr ein Ständchen zu bringen.

Beispiel für weibliche Singles:

Dein Partner hat eine Schwäche für Unpünktlichkeit. Du selbst findest seine Einstellung: „Es läuft mir nichts davon" unangenehm. Bis jetzt bist Du jedesmal, wenn er zum Rendezvous zu spät gekommen ist, wütend geworden und hast die folgenden zwei Tage den Telefonhörer nicht abgenommen, um Deinen Liebsten weich zu machen. Doch heute hast Du diese Stufe gemeistert: Du hast in einem interessanten Buch gelesen, so daß Dir die halbe Stunde Wartezeit gar nicht aufgefallen ist. Und als er dann plötzlich vor Dir stand, bist Du ihm lächelnd um den Hals gefallen.

Wenn *Du* Deine Reaktionen auf das Verhalten Deines Partners (Deiner Partnerin) verwandelst, befreist Du ihn (sie) damit gleichzeitig aus seiner (ihrer) karmischen Funktion. Das bedeutet, daß Du ihm (ihr) signalisierst:

Ich habe erkannt, was für *mich* notwendig ist: Daß *ich* meine Reaktion auf Dein Verhalten verändern soll. Das ist mir gelungen. Und weil es jetzt *in mir* keine Not mehr gibt, die zu wenden ist, hat Dein Verhalten keinen negativen Einfluß mehr auf mich.

Zusammenfassung

Wenn *Du* Dich veränderst, muß sich auch Dein Partner (Deine Partnerin) und Dein Umfeld ändern. Wenn *Du* neu beginnst (also eine andere, liebevollere Reaktion zeigst), wird auch Dein Partner einen Neubeginn in sich selbst erleben.

Die Wellen *Deines* Steines, den *Du* ins Wasser geworfen hast, werden jeden Menschen in Deinem Umfeld angenehm berühren und im besonderen Deiner Partnerschaft einen fröhlichen Neubeginn bescheren.

Quantensprung

Lieber Single, in den vorangegangenen Kapiteln habe ich Dir viele Ideen für neue Gedanken angeboten. In diesem Abschnitt geht es um einen Quantensprung in Deinem Denken, der Dir zu einer *liebenden* Einstellung verhelfen soll:

Von der Wirklichkeit eines *Singles* ein für alle Mal in die eines *Partners*.

Wie das Wort schon sagt, konzentrieren sich die Gedanken eines

Singles („Einzelner") eben auf den *Ein*zelnen: auf Eigenständigkeit, Individualität und Selbstverwirklichung.

Während ein *Partner* („Teilender") jemand ist, der bereit ist, zu *teilen* und zu *geben* und durch sein liebevolles An-*Teil*-nehmen unter Be-*Teil*-igung seines Herzens zur größtmöglichen Entfaltung seines Partners (seiner Partnerin) beiträgt.

Wenn *Du* nun einem solchen *Partner*, der alles mit Dir teilt, begegnen möchtest, dann mußt *Du* zuvor ein solcher *Partner* sein. Das bedeutet, daß *Du* die Wellenlänge eines liebenden Menschen ausstrahlst, der entschlossen ist, sich mit seinem ganzen Herzen am Wesen eines anderen zu be-*Teil*-igen. Die Liebe, die *Du* dann verströmst, wird ein männliches oder weibliches Wesen erreichen, das Dir ähnlich ist. Es ist also für Dich von ausschlaggebender Bedeutung, daß Du die gedankliche Wirklichkeit eines Singles aufgibst und bereit bist, wie ein *Partner* denken zu lernen. Damit Dir das gelingt, muß Du etwas Mut und unerschütterliches Selbstvertrauen beweisen, da eine Zwischenstation („Innerlich bin ich kein Single mehr, aber ich habe noch keinen Partner") unvermeidbar ist.

Zum leichteren Verständnis, was damit gemeint ist, stelle Dir eine liegende Acht vor. Diese besteht aus zwei gleich großen Schleifen. Die linke ist ein Symbol für Deine bisherige Einstellung: „So denkt und verhält sich ein Single", während die rechte die Wirklichkeit eines Menschen darstellt, der ein liebender Partner ist. Um von der linken in die rechte Schleife zu gelangen, mußt Du den Punkt überwinden (Zwischenstation), an dem sich die beiden Kreise schneiden.

Auf Dich übertragen bedeutet dieses Beispiel, 1. das Single-Leben mit den damit verbundenen Vorteilen aufzugeben und sich 2. der Ungewißheit zu stellen, die sich daraus ergibt, weil Du *noch* keinen Partner (keine Partnerin) hast.

Bevor Du also Deinen ersten Gedanken als *Partner* denkst und Dich dementsprechend wie ein mit-fühlender, liebe-voller *Partner* verhältst, bleibt es Dir nicht erspart, eine Art Niemandsland zu überbrücken, als würdest Du eine Grenze passieren.

Noch ein Beispiel:

Wenn Du eine mit Büchern vollgestopfte Schublade umfunktionieren und mit einem neuen Inhalt versehen willst, dann mußt Du sie völlig leer machen, bevor Du etwas anderes hineingeben kannst. Es kann nicht gelingen, die Lade vollständig mit Musikkassetten zu füllen, wenn Du nur einen Teil der Bücher ausräumst. Die Zwischenstation „Leere Schublade" läßt sich also nicht umgehen.

Zwischenstation: Leere

Es kann sein, daß Du nach einer längeren Phase des Allein-Seins erkennst, daß Du nun vom Single-Dasein genug hast,

❤ weil Du Deinen Single-Zustand als Möglichkeit genutzt hast, Dich selbst zu fördern und eigenständig zu werden.

❤ weil Du Deine Vergangenheit konsequent durchleuchtet und für immer losgelassen hast.

❤ weil Du allen Menschen vergeben hast, mit denen Du im Unfrieden warst.

❤ weil Du Deinen Glauben an das Gute wieder gefunden hast und Dein Selbstvertrauen hergestellt ist.

❤ weil Deine verletzten Gefühle wieder heil sind.

❤ weil Du bewiesen hast, daß Du Entscheidungen allein treffen und selbst für Dein Wohlgefühl sorgen kannst.

Doch immer deutlicher und immer öfters ruft Dein Herz nach etwas anderem, das bis jetzt nur in Deinen Träumen existiert hat: Nach einer glücklichen Partnerschaft, deren Fundament jenes innige An-*Teil*-Nehmen ist, das man Liebe nennt.

Wenn Dir beim Gedanken an eine solche Verbindung im wahrsten Sinne des Wortes „das Herz aufgeht", mußt Du gewillt sein, eine (kurze) Übergangsphase in Kauf zu nehmen, in der Du möglicherweise innere Leere oder Ungewißheit empfindest. Betrachte dies als natürliche Reaktion, die deshalb auftritt, weil Du etwas Gewohnt-Vertrautes (Dein Single-Dasein) verläßt und Dich auf etwas Ungewohnt-Neues (eine Partnerschaft) einzulassen bereit bist. Dein inneres *und* äußeres Distanzieren von der Wirklichkeit eines Singles ist mit dem Ausräumen der Bücherlade im obigen Beispiel vergleichbar: Für mehrere Augenblicke (einige Zeit) ist die Lade *leer* ...

Dein äußeres Abstandnehmen vom Verhalten eines Singles könnte mit folgender Idee eingeleitet werden:

> Ab sofort nehme ich keine „Vorteile" eines Singles mehr in Anspruch, obwohl ich (noch) keinen Partner habe.

Lieber männlicher Single, bitte wähle selbst, welche Vorteile Du aufzugeben bereit bist:

Als *Single*

❤ kannst Du Deine Männlichkeit unter Beweis stellen, ohne eine Herzens-Bindung einzugehen.

❤ brauchst Du Deine Verhaltensmuster nicht anzusehen, weil für Nachschub bestens gesorgt ist: Ist's die nicht, ist's eine andere.

❤ brauchst Du Dich mit Deinen Schwächen nicht auseinanderzusetzen und kannst diese auf Deine jeweilige Freundin projizieren.

❤ bist Du ungebunden, obwohl Du nach außen hin stets irgendeine Frau an Deiner Seite hast.

❤ kannst Du die Fürsorge eines weiblichen Wesens genießen, ohne eine Herzensverpflichtung einzugehen.

❤ kannst Du mit Deiner Freundin jederzeit Schluß machen, wenn Dich an ihr etwas stört, weil Deine Beziehung zu ihr unverbindlich ist.

Lieber weiblicher Single, bitte wähle selbst, welche Vorteile Du aufzugeben bereit bist:

Als *Single*

❤ kannst Du Deine Enttäuschungen mit Männern zum Anlaß nehmen, auf Dein Glück zu verzichten: „Anderen geht es genauso (schlecht) wie mir."

❤ brauchst Du Dich Deiner Unsicherheit Männern gegenüber nicht zu stellen.

❤ mußt Du Deine rosarote Brille nie abnehmen, weil Du in unverbindlichen Beziehungen über die erste Verliebtheit nicht hinauskommst.

- ♥ ersparst Du Dir, Dein Selbstwertgefühl zu hinterfragen: „Bin ich mir einen liebevollen, treuen, verläßlichen Partner wert?"
- ♥ kannst Du Deinen Frust an verschiedenen Männern hemmungslos auslassen.
- ♥ gehst Du dem Risiko einer nochmaligen Enttäuschung aus dem Weg.

Wie sich aus dieser Liste erkennen läßt, bist Du als *Single* einerseits auf das große Bedürfnis nach Zuwendung und Anerkennung konzentriert (was durch Deine ständige „Partnersuche" bezeugt wird) und willst andererseits gleichzeitig *un*-gebunden bleiben (was sich entweder durch einen wiederholten „Partnertausch" zeigt oder damit bestätigt wird, daß Du Dich als unfreiwilliger Einsiedler in völlige Isolation begibst).

Du willst also (unbewußt) *zwei Dinge auf einmal:* Liebe *und* Unverbindlichkeit. Gleichzeitig ist dies aber nicht möglich. Du mußt Dich entweder für das eine oder das andere entscheiden. Bitte bedenke, daß *Deine* Entscheidung darüber bestimmt, was *Du* von einem anderen menschlichen Wesen bekommst: Liebe oder Unverbindlichkeit. Nachdem Du aber ein Single bist, der es *nicht* länger sein möchte, sollte Dir die Entscheidung leichtfallen, ab jetzt mit einer *Liebe*-vollen, partnerschaftlichen Einstellung durchs Leben zu gehen.

Das bedeutet, die gedankliche Wirklichkeit eines Single aufzugeben, indem Du oben angeführte Gewohnheiten nicht länger als Vorteil gelten läßt und das Entsprechende tust.

Beispiel für männliche Singles:

Es ist Samstag abend. Die letzten Jahre (Monate) hast Du regelmäßig einen Single-Club besucht und festgestellt, daß Du dort keinen Partner finden konntest, der *Deinem* Herzenswunsch entspricht. Trotzdem hast Du immer wieder am Samstag abend das Club-Treffen besucht. Dein Gedanke: „Es ist besser, die Zeit totzuschlagen, als sich der Ungewißheit zu stellen, was ich mit mir an einem Samstagabend anfangen könnte" war der eines *Singles* (in einer unverbindlichen Konversation brauchst Du Dich weder auf Dich selbst, noch auf Dein Gegenüber näher einzulassen). Weil Du Dich aber entschieden hast, kein Single-Verhalten mehr zu zeigen, begibst Du Dich heute nicht in die gewohnte Gesellschaft und stellst Dich der möglichen Ungewißheit, was dann in Dir geschieht. Idee: Du bist Dir heute selbst ein liebevoller Partner, nimmst ein angenehmes Bad, liest ein interessantes Buch oder nutzt Deinen Abendspaziergang, um Dich an Deiner neuen Einstellung zu erfreuen: „Von Tag zu Tag bin ich (mir) ein besserer *Partner*."

Beispiel für weibliche Singles:

Es ist Samstag abend. Die letzten Jahre (Monate) hast Du Dich mit einer Freundin, die auch Single ist, getroffen. Stundenlang habt Ihr Euch den ewigen Frust mit Männern von der Seele geredet und einander die große Sehnsucht nach einem Partner eingestanden. Doch einen solchen hast Du bis heute nicht gefunden. Dein Gedanke: „Es ist besser, mit jemandem zu reden, der genauso arm dran ist wie ich, als sich der Ungewißheit zu stellen, was ich mit mir an einem Samstagabend anfangen könnte" war der eines *Singles* (in der Gesellschaft von Gleichgesinnten wird Dein Selbstmitleid aufs beste bestätigt, also brauchst Du nichts zu tun, um es aufzulösen). Weil Du Dich aber entschieden hast, kein Single-Verhalten zu zeigen, triffst Du Dich heute nicht mit Deiner Freundin und stellst Dich der möglichen Ungewißheit, was dann in Dir geschieht. Idee: Du bist Dir heute selbst eine liebevolle Partnerin, besuchst eine interessante Ausstellung, holst Deine verstaubte Staffelei aus dem Keller oder nutzt Deinen Abendspaziergang, um Deine neue Einstellung voll Freude zu trainieren: „Ich bin (mir) von Tag zu Tag eine bessere *Partnerin*."

In Deinem Leben kann sich also nur dann etwas Entscheidendes verändern, wenn *Du* nicht länger wie ein Single denkst (Vorteile?) und Dich auch nicht länger wie ein Single verhältst (Gesellschaft von Gleichgesinnten?), obwohl Du *noch* keinen (Übergangsphase!) Partner hast.

Der Weg zum Quantensprung

Wenn *Du* bekommen möchtest, wonach Du Dich sehnst: Zuwendung, Anerkennung und Liebe, dann mußt *Du* fest entschlossen sein, *Dich voll und ganz* auf ein anderes menschliches Wesen einzulassen. Es ist nämlich *Deine* unverbindliche Einstellung und *Deine* mangelnde Bereitschaft, aus vollstem Herzen am Wesen des anderen An-*Teil* zu nehmen, *die verhindert (!), daß Du bekommst, was **Du** Dir wünschst!*

Dein geistiger Sprung heraus aus dem Single-Dasein ist also eine bewußte Entscheidung und somit ein neuer Gedanke, den Du nach Deinem Empfinden ergänzen oder anders formulieren kannst:

Ich bin entschlossen, ein liebender Partner zu sein oder:
Ich denke, fühle und glaube als liebevoller Partner.

Wenn Du diese Idee konsequent in Dir bewahrst, wird Dir das Leben viele Möglichkeiten bieten, Deine neue Einstellung zu erproben und zu festigen, bis Du Dich in der Wirklichkeit eines liebenden *Partners* vollkommen sicher und wohl fühlst.

Warum ist nun Deine Bereitschaft, diesen Quantensprung zu tun, so wichtig? Antwort: Weil Du ein Single bist, der es *nicht* länger bleiben möchte, und Du Dir von Herzen eine *Partnerschaft* wünschst. Eine Partnerschaft ist etwas anderes als der Kompromiß zweier Singles, sich (wie immer) zu arrangieren.

In einer Partnerschaft *verbinden* sich zwei Menschen, die ohne einander nicht sein wollen, weil sie Liebe zueinander empfinden.

Durch *Deine* neue Einstellung: „Ich bin entschlossen (Ich bin bereit), mich mit meinem Herzen am Wesen meines Partners (meiner Partnerin) zu beteiligen" drückst Du *Deine Bereitschaft zu lieben* aus und bekundest gleichzeitig Deine Offenheit für eine *Partnerschaft.* Du hast also Dein Ziel formuliert und bereits die Entscheidung getroffen, es zu erreichen. Zugleich strahlt die Sehnsucht Deiner Seele „Liebeswellen" aus, und diese werden genau die Zufälle in Deinem Leben herbeiführen, die das von Dir Gewünschte hervorzubringen helfen:

186

Liebe in einer *Partnerschaft* zu erleben.

Dein Sprung heraus aus der Wirklichkeit eines Single setzt noch etwas voraus: Daß Du Dich *Deiner* Herzensvision von Partnerschaft vollkommen verschreibst und diese in Deiner Vorstellung so lebendig werden läßt, daß all Deine freudvollen Glücksgefühle davon bewegt werden. Deine Vision muß etwas sein, was Du wirklich und wahrhaftig möchtest (siehe Abschnitt „Erwünschter Endzustand")!

Lieber Single, möge Dir der Quantensprung gelingen! Das wünsche ich Dir von ganzem Herzen.

Du bist ein Teil von mir

Erinnerst Du Dich an das Märchen vom Tempel der tausend Spiegel? Jeder Mensch, der Dein Gegenüber ist, spiegelt einen Teil von *Dir*. Und nachdem Du so vielen Menschen begegnest, kannst Du daraus schließen, daß sich Dein Bewußtsein (Deine seelisch-geistige Substanz) aus unzähligen Teilen und Inhalten zusammensetzt, die Dir in Gestalt anderer Menschen begegnen. Du hast also insbesondere durch das Spiegelbild Deines Partners (Deiner Partnerin) Gelegenheit, einen Blick auf ein *Stück von Dir* zu werfen. Nachdem Du auf der Welt bist, um dazuzulernen, Dein Bewußtsein zu erweitern und glücklich zu werden (sein), ist *Dein liebevoller Blick* auf dieses „Stück von Dir" besonders wichtig für Dich.

Phantasiegeschichte

Im Himmel findet soeben die tägliche Seelenversammlung statt. Das große Fenster zur Erdenschule ist geöffnet, so daß die momentan nicht inkarnierten Seelen das Geschehen dort unten genau beobachten können. Aufmerksam und voll Freude blicken sie hinunter, um den günstigsten Zeitpunkt für ihren Schuleintritt wahrzunehmen, deren Klasse sich jede einzelne selbst auswählen darf.

„Wenn ich jetzt geboren werde", denkt die eine, „dann bekomme ich genau die Eltern, die meine Entwicklung am besten fördern,

und begegne genau dem Partner (der Partnerin), durch den (die)
ich am meisten lernen kann."

"Aber Du weißt doch", unterbricht das danebensitzende Wesen
diesen Gedankenfluß, "daß wir unsere Lektionen vergessen haben
werden, wenn wir als Menschen auf der Erde sind! Ich war bis ge-
stern unten. Bin jetzt noch erschöpft von der Anstrengung darauf zu
kommen, was ich zu lernen hatte."

"Warum hast Du nicht das Spiegelgesetz angewandt?"

"Ach, weißt Du, mein Partner hat sich mir gegenüber so lieblos
verhalten", grübelt die Seele über ihre Erfahrungen nach.

"Er hat Dir nur vorgelebt, was auch Dein Verhalten war, damit
Du es an Dir erkennst und durch Deine Liebe erlöst!" versucht die
erste richtig zu stellen. "Du hast Dir diesen Partner doch genau
deswegen ausgesucht! Es war Deine Aufgabe, dieses Stück von Dir
lieb so lieb zu haben, als wärst Du es selbst", ruft sie der zweiten
Seele noch zu, bevor sie voll Freude zur Erde fliegt.

Lieber männlicher und weiblicher Single, mit diesem Abschnitt
zeige ich Dir, wie Du durch *Dein* Liebes-Engagement das Spiegelbild Deines Partners in Dein Herz schließen kannst: „Was kann ich
tun, um dieses 'Stück von mir' wirklich *lieb* zu haben?" Das bedeutet in anderen Worten:

<u>Es ist *Deine* Aufgabe, mit Deinem Partner (Deiner Part-</u>
<u>nerin) so einfühlsam umzugehen, als wärst Du es selbst.</u>

Eine solch *Liebe*-volle Einstellung setzt voraus, daß Du den
Quantensprung in Deinem Denken geschafft hast und Dich nicht
mehr wie ein Single verhältst. Durch *Deine* An-*Teil*-nahme und durch
Dein Mitgefühl drückst Du *Deine* Liebesbereitschaft für die wunden
Punkte Deines Partners (Deiner Partnerin) aus, die ja allesamt auch
Deine eigenen sind (Spiegel!). Und es ist *Deine* Aufgabe, all diese
verwunschenen, ungeliebten Teile (die Dein Partner durch ein be-
stimmtes Verhalten zum Ausdruck bringt), zu umarmen und an Dein
Herz zu drücken, damit sie endlich aus ihrem Bann erlöst werden.

Umarmen heißt, daß Du auch den verzerrten Liebes-Ausdrucks-
formen in Deiner Partnerschaft Raum gibst, sich zeigen zu dürfen,
ohne daß Du Deinen Partner (Deine Partnerin) als Ganzes zurückweist.

Was immer Du in Deinem Partner (Deiner Partnerin) siehst – es ist ein Teil von *Dir,* der um *Deine* Beachtung und um *Deine* Liebe fleht.

Wann immer Du in Versuchung gerätst, *lieblos* zu reagieren, will ich Dir einen Gedanken anbieten, der Deine Zurückweisung zu stoppen vermag:

> Du bist ja ein Stück von mir! Auch wenn ich das im Augenblick vergessen habe. Aber weil Du ein Teil von mir bist, will ich Dich ansehen und Dir in meinem Herzen einen Platz einräumen, weil Du nur erlöst werden kannst, wenn ich Dich annehme und liebe.

Bestimmt warst Du schon öfters „wie vernagelt" oder hattest „ein Brett vor dem Kopf" oder eine „Mattscheibe" ... Dies trifft exakt den Nagel auf den Kopf, wenn es darum geht, daß *Du* etwas Bestimmtes, das Dir Dein Partner (Deine Partnerin) vorlebt und somit spiegelt, als Teil von *Dir* erkennst, der als verzauberter Liebeswunsch um Deine Zuwendung ringt. Wie die Seele in unserer Phantasiegeschichte richtig erkannt hat, magst Du beim Anblick Deines verwunschenen Spiegelbildes vergessen haben, was Deine Aufgabe ist: Diesen Teil von Dir zu lieben.

Damit Dir das gelingt, mußt Du nicht nur das Brett vor Deinen Augen, sondern vor Deinem *Herzen* entfernen. Das bedeutet:

> Du lernst, die Wirklichkeit, in der Dein Partner (Deine Partnerin) lebt, mit Deinem Herzen zu sehen.

Es ist genauso wie in einer richtigen Schule: Der Lehrer (das ist Dein Partner/Deine Partnerin) stellt Dir eine bestimmte Aufgabe, die Du als (sein) Schüler zu lösen hast. Gelingt es Dir, steigst Du in die nächsthöhere Schulstufe auf, schaffst Du es nicht, darfst Du die Klasse wiederholen ... Begreifst Du nun besser, warum sich in Deinem bisherigen Leben mit Partnern (Partnerinnen) so vieles wiederholt hat? Weil *Du* Deine Lektion noch nicht vollständig gelernt hast.

Lieber Single, auch wenn Deine Aufgabe im einzelnen von der anderer Singles abweicht, haben sie dennoch alle etwas gemeinsam:

Sie lassen sich *nur mit Liebe* lösen.

Welcher Teil von Dir sich da im Spiegelbild Deines Partners (Deiner Partnerin) zeigt, kannst Du mit Hilfe der Übung „Mein Du ist mein Spiegel" herausfinden. Und dann ist es Deine Aufgabe, diesem Stück von Dir Deine Liebe zu schenken, indem Du Geduld, Verständnis, Mitgefühl und Toleranz (für Deinen Partner/Deine Partnerin) aufbringst, als wärst Du es selbst:

Was *Du* nicht willst, das Dir Dein Partner (Deine Partnerin) tut, das füge ihm (ihr) auch *Du* nicht zu ...

Je inniger, liebevoller und herzlicher Du mit Deinem Partner (Deiner Partnerin) beim Auftauchen eines unangenehmen Spiegelbildes umgehst, desto inniger und liebevoller wird Dein Kontakt zu Dir selbst. Warum? Weil Du einem Stück von Dir – also *Dir selbst* – mit Liebe begegnet bist.

Beispiel:

Dein Freund (Deine Freundin) spiegelt Dir ein Verhalten, das Du als Bindungsangst bezeichnest. Er (sie) will Dich nur ab und zu treffen und weder Urlaubs- noch Zukunftspläne mit Dir machen, obwohl *Du* Dir das von Herzen wünschst. All Deine Versuche, Deinen Freund (Deine Freundin) von der Freude eines gemeinsamen Lebens zu überzeugen, bleiben ohne Erfolg: Er (sie) will sich nicht binden. Dieses Spiegelbild ist ein Teil von *Dir*, den Du bis jetzt nicht beachtet hast. Es ist also *Deine eigene* Bindungsangst, die sich da spiegelt und um Deine liebevolle Zuwendung fleht! Und daher ist es Deine Aufgabe, die Wirklichkeit Deines Freundes (Deiner Freundin): „Ich habe Angst vor einer Bindung" als *Deine* Wirklichkeit sehen zu lernen und seiner (ihrer) Bindungsangst verständnisvoll und mitfühlend zu begegnen, indem Du Dich ein bißchen weniger auf Deine Wünsche (gemeinsamer Urlaub, gemeinsame Ziele) und ein bißchen mehr auf Dein Spiegelbild konzentrierst: „*Ich* habe (noch) Angst vor einer festen Bindung, und daher ist es gut für mich, wenn wir (noch) keine gemeinsamen Pläne haben."

Möge es Dir mit folgender Frage leichter gelingen, Deinen Partner (Deine Partnerin) trotz seines (ihres) ekelhaften, unmöglichen, seltsamen, lieblosen Verhaltens in Dein Herz zu schließen:

Was (welche Geste) würde *ich* mir genau jetzt, von Dir wünschen?

Beispiel:

Dein Partner (Deine Partnerin) bombardiert Dich seit geraumer Zeit mit zynischen Bemerkungen. Das macht er (sie) deshalb, weil er (sie) sich aus einem Grund, den Du nicht kennst, in diesem Moment ungeliebt fühlt. Es zeigt sich also jetzt, in diesem Augenblick, (Spiegel!) ein Teil von Dir, der sich nach *Liebe* sehnt. Und anstatt beleidigt zu sein oder ebenso ekelhaft zu werden, stellst Du Dir die obige Frage und spürst in Dich hinein: „Wonach sehne *ich* mich jetzt? Was (welche Geste, welches Wort) würde *ich* mir jetzt von Dir (anstelle Deines Zynismus) wünschen?" Mögliche Antworten: „Daß Du mich zwei Tage nicht anrufst, daß Du mich in die Arme nimmst, daß Du mir Deinen wirklichen Kummer anvertraust, daß Du mich streichelst, daß Du still bist ..." Und genau das, wonach *Du* Dich sehnst, solltest Du *jetzt* Deinem Partner (Deiner Partnerin) *geben:* Du verabschiedest Dich freundlich und rufst ihn (sie) zwei Tage nicht an, Du nimmst ihn (sie) in die Arme, Du vertraust ihm (ihr) Deinen Kummer an, der aufgrund seiner (ihrer) Lieblosigkeit in Dir entstanden ist, Du streichelst ihn (sie), Du bist still und sagst nichts ...

Du bist also mit einem Teil von Dir, Deinem Partner (Deiner Partnerin), so umgegangen, als wärst *Du es selbst.* Und je öfter Dir das gelingt, desto mehr Wunder wirst Du erleben, die schon in Märchen beschrieben worden sind: Ein wunderschönes Mädchen erwacht nach 100jährigem Schlaf zu neuem Leben, aus einem häßlichen Frosch wird augenblicklich ein strahlend schöner Prinz, und ein bitterarmes Mädchen verwandelt sich in eine reiche Prinzessin – durch die Zauberkraft der *Liebe.*

Und so mag es Dir eben wie ein Wunder vorkommen, wenn Du plötzlich in das glückliche Gesicht Deines Partners (Deiner Partnerin) blickst, das noch eine Minute zuvor so traurig, verstört oder entstellt war. Dieses Wunder geschieht, weil *Deine Liebe* stärker ist als all deren verwunschene Ausdrucksformen. Also kann es gar nicht anders sein, daß Du hier bist, um sie zu verschenken ...

Affirmationen

Ich behandle Dich so, wie ich selbst behandelt werden möchte.

Ich gebe Dir das, was ich mir selbst wünsche.

Ich bin für Dich da, wenn Du es möchtest.

Ich liebe Dich so wie mich selbst.

Gefühl und Entscheidung

Lieber männlicher Single, dieser Abschnitt wurde für Dich geschrieben. Möge es gelingen, damit Dein Herz zu berühren und Dich ermutigen, Deine *Gefühle* als ebenso *real* anzuerkennen wie Fakten, wenn Du eine Entscheidung in Deiner Partnerschaft zu treffen hast.

Hier ist ein Appell an Dich, auf Dein innerstes Gefühl horchen zu lernen und es in einem Bereich Deines Lebens mitbestimmen zu lassen, in dem *Fühlen, Mit-fühlen* und *Ein-fühl-samkeit* so wichtig sind: in Deiner Partnerschaft.

Das Ziel ist, daß Du für die Sprache Deines Herzens aufgeschlossener wirst und erkennst, daß Deine Entscheidungen stets aus einem *Gefühl* der Liebe heraus geschehen, weil dies für *Dein Glück* und somit für das Glück in Deiner Partnerschaft von ausschlaggebender Bedeutung ist.

Mag sein, daß Du nun dieses Buch am liebsten zuschlagen würdest, weil Du von sämtlichen Formen der Gefühlduselei genug hast. Wenn dies so ist, dann laß bitte Deinem Zweifel oder Deiner Abneigung genügend Raum, sich auszudrücken. Trotzdem bitte ich Dich um noch etwas: Lies diesen Abschnitt zu Ende, wenn Du wieder in besserer Stimmung bist oder sich Dir die Chance bietet, Deiner (derzeitigen oder zukünftigen) Partnerin zu zeigen, wieviel Du eigentlich für sie empfindest.

Um Dir die heikle Sache mit den Gefühlen etwas schmackhafter zu machen, ist nachfolgender Vergleich entstanden:

Da gibt es ein eigenes, kleines Universum – und das bist *Du:* eine Art Miniaturausgabe des unendlich großen Kosmos. Und so, wie die Sonne im großen Universum ein kraftspendendes, lebenserhaltendes Zentrum ist, gibt es auch in Dir eine solche Quelle: Dein Herz. Dieses funktioniert nicht nur als Organ, um Deinen Körper am Leben zu erhalten, sondern um Dir als Kraftquelle „in Sachen Liebe" zu dienen. Ähnlich wie die Sonne ist Dein Herz eine eigene Instanz, die für sämtliche Gefühlsbelange zuständig ist.

Wenn du also einen Hinweis brauchst, wie es im Moment zwischen Dir und Deiner Freundin (Partnerin) „steht" oder wie Du etwas zu entscheiden hast, was Deine Beziehung betrifft, brauchst Du nur Dein Herz zu fragen: „Was sagst eigentlich Du dazu?" und hinspüren, was es Dir mitzuteilen hat.

Vielleicht hast Du bis jetzt zu wenig darauf geachtet, wie sehr sich Dein Herz eine Kommunikation mit Dir wünscht. Die Bitte Deines Herzens: „Horche auf mich!" kann sich sowohl in einer körperlichen Reaktion – Klopfen, Hüpfen, Brennen, Ziehen, Stechen ... (je nachdem, welche Mitteilung es für Dich hat) – zeigen, aber auch durch eine spontane Eingebung, was Du genau jetzt tun sollst, ausdrücken.

Wenn Du mit Deinem Herzen in Kontakt bist, brauchst Du also nicht lange nachzugrübeln, wie Du Dich in einer bestimmten, aktuellen Liebesangelegenheit verhalten oder entscheiden sollst, weil der erste Impuls, nachdem Du Deine Frage gestellt hast, stets der richtige für Dich ist.

Alles, was Dir danach einfällt, sind Abwandlungen oder Einschränkungen dessen, was Dir Dein Herz sagen wollte. Und weil Du wahrscheinlich dem ersten Impuls nicht so ganz traust, schaltest Du sogleich Deine Ratio ein. Daher schwingt bei den Botschaften Deines Herzens stets noch etwas mit: „Vertraue dem Gefühl in Deinem Herzen, weil dort die höchste Intelligenz, die es gibt, ihren Wohnsitz hat."

Lieber männlicher Single, Gefühlsentscheidungen scheinen nicht einfach zu sein. Besonders dann nicht, wenn Du jahrelang gewohnt warst, Deinem Herzen *nicht* nachzugeben und seine Zeichen als zweitrangig zu vernachlässigen. Kann sein, daß *Du nicht* zu jenen männlichen Wesen gehörst, die sich an „Fakten" oder „Tatsachen" orientieren, wenn eine Entscheidung in einer Liebesangelegenheit anliegt. Trotzdem kann es sein, daß Liebesgefühle für Dich etwas Suspektes sind, mit dem Du lieber nichts zu tun haben möchtest. Mit einer solch (gefühllosen) Einstellung kannst Du jedoch das Herz (die Liebe) einer Frau nicht wirklich erreichen ...

Nachdem Du aber ein Single bist, der es *nicht* bleiben möchte und *Du Dir Liebe in einer Partnerschaft* wünschst, muß es Dir gelingen, den Botschaften Deines Herzens zu glauben und diese in Deine Entscheidungen mit einzubeziehen.

Deine Entschlossenheit, ein *Partner* zu sein, bedeutet also, nicht nur Aktivitäten, Alltag oder Bett mit der Dame Deines Herzens zu teilen, sondern ihr genauso gefühlvoll, genauso einfühlsam und genauso mitfühlend zu begegnen, wie *Du* Dir das von ihr wünschst oder schlichtweg voraussetzt.

Deine Liebe mit zu zeigen könnte ein riskantes Unternehmen für Dich sein. Daher will ich Dir ein paar Möglichkeiten anbieten, wie Du in kleinen Schritten dem Gefühl Deines Herzens näherkommen kannst:

Ab jetzt

- ❤ *spreche* ich (meiner Partnerin gegenüber) alle angenehmen Gefühle *aus,* die ich im Augenblick empfinde: Ich freue mich! Ich bin froh! Ich fühle mich so wohl! Ich bin erleichtert! Ich bin glücklich!

- ❤ *drücke* ich all meine positiven Gefühle, so gut ich kann, spontan *aus,* indem ich zum Beispiel vor Freude hüpfe, fröhlich singe, aus Wohlbefinden grunze, mich erleichtert aufs Bett fallen lasse und meine Partnerin vor lauter Glück hochhebe ...

- ❤ stelle ich meinem Herzen die Frage: „Was rätst Du mir?", wenn ich eine Entscheidung zu treffen habe, die mit meiner Partnerin zu tun hat.

- ❤ will ich dem ersten Impuls meines Herzens folgen und diesem entsprechend aktiv werden.

Lieber männlicher Single, wenn Dein Unternehmen „Gefühlsentscheidung" gelingen soll, darfst Du die Sprache Deines Herzens nicht länger ignorieren. Wahrscheinlich hat es schon oft versucht, mit Dir Kontakt aufzunehmen. Weil Du jedoch seine Hinweise nicht wichtig genug gefunden hast, mußte es Dir deutlichere Signale schicken und Dir womöglich Schmerzen zufügen. Du spürtest also deshalb ein Brennen, einen starken Druck oder einen Stich im Herzen, weil Du für dessen natürliche Umgangssprache taub geworden bist: Für Dein Liebesgefühl.

Ich glaube, daß jetzt ein bißchen Humor angebracht ist:

Da ist ein sehr großes Gebäude, in dem verschiedene Ämter untergebracht sind: Und das bist Du. *Jedes Amt ist für einen bestimmten Bereich zuständig. Da gibt es das* Verstandes-Amt, *das Du aufsuchen kannst, wenn Du vor einer beruflichen Entscheidung stehst. Dann gibt es das* Willens-Amt, *dessen Rat Du einholst, wenn Du etwas Bestimmtes erreichen möchtest. An das Ego-Amt kannst Du Dich wenden, wenn Du nach Anerkennung oder Bewunderung hungerst. Im Glaubens-Amt findest Du Halt und Zuversicht, wenn alles schief läuft und an das* Vernunfts-Amt *kannst Du Dich wenden, wenn Deine Ansprüche allzu vehement mit Dir durchgehen. Für jedes Deiner Anliegen gibt es also in diesem riesigen Haus eine Abteilung, in der Du gut beraten wirst. Wenn Du Dir mit Deinen Gefühlen unsicher bist oder an Deiner Liebe zu zweifeln beginnst, gibt es dafür ebenfalls eine kompetente Stelle: Das Herz-Amt. Du brauchst also nicht länger an eine falsche Tür zu klopfen, wenn Du einen Rat in einer Liebesangelegenheit brauchst. Weder das Verstandes-Amt noch das Ego-Amt kennen sich damit aus, und das Vernunfts-Amt wird Dir womöglich auch einen falschen Hinweis geben, was Dein Liebesgefühl betrifft ...*

Woran erkennst Du nun die Stimme Deines Herzens als eine von vielen, die in Dir lebendig werden, wenn Du vor einer Entscheidung in Deiner Partnerschaft (also in einer Liebesangelegenheit!) stehst? Mit noch ein bißchen Humor will ich beim obigen Vergleich bleiben:

Das Verstandes-Amt sagt: *„Richte Dich nach den bestehenden Fakten. Glaube nur, was Du siehst, denn etwas anderes existiert nicht."*

Der Leiter des Willens-Amtes gibt Dir den Rat: *„Setze Deinen Willen durch."*

Vom Ego-Amt *bekommst Du den Hinweis: „Mit dieser Frau gibt's nur Probleme, also laß Dich von einer anderen anhimmeln."*

Das Glaubens-Amt *rät Dir: „Alles ist* gut, *Du darfst auch Fehler machen."*

Und der Leiter des Vernunfts-Amtes gibt Dir den Tip: *„Nimm Dich zurück, schließlich bist Du kein Kind mehr."*

All diese Möglichkeiten sind nun als innere Stimmen in Dir vorhanden und sollen eine richtige Entscheidung Deinerseits herbeiführen. Wenn Du nun Die Botschaft Deines Herzens mit einbeziehen möchtest, kannst Du diese ganz leicht herausfinden:

<u>Wenn ein Hinweis aus Deinem Herzen kommt, so ist er immer von einem Gefühl der Freude begleitet.</u>

Und nichts auf der Welt sollte Dich davon abhalten, das zu *tun,* was Dir *schon als Vorfreude* geschenkt wird, wenn Du Dir die wahrscheinlichen Folgen Deiner (mit dem Herzen) getroffenen Entscheidung in einem Bild vorstellst: Zum Beispiel das glückstrahlende Gesicht Deiner Partnerin.

Dein immer besser werdender Kontakt mit *Deinem* Herzen: „Wozu rätst Du mir?" wird Dich unaufhörlich näher zum Herzen Deiner Partnerin führen, so daß Eure Liebe zur gemeinsamen Kraftquelle wird – zur Sonne in Eurer Partnerschaft, die ewig Licht und Wärme verströmt, ohne sich zu erschöpfen ...

Postskriptum für die Frau des Herzens:

Hab bitte Geduld mit Deinem Partner und zeige ihm Dein Mitgefühl für seine Zwiespältigkeit. Gib seinen Gefühlen die Möglichkeit, sich in Deiner Anwesenheit zu entfalten, indem Du ab jetzt aufhörst,

❤ Dich über seine Gefühllosigkeit zu beklagen,

❤ ihm Vorwürfe zu machen, was er für ein „harter Klotz" ist,

- ❤ *mehr* Zärtlichkeit, *mehr* Mitgefühl, *mehr* Einfühlungsvermögen zu fordern,

und indem Du ab jetzt beginnst,

- ❤ ihn nur im Licht Deiner Liebe zu sehen,
- ❤ ihm für jeden spontanen Ausdruck seiner Gefühle zu danken,
- ❤ zu vertrauen, daß er ein gefühlvoller Partner sein wird, wenn Deine Zuneigung an keine Bedingungen geknüpft ist.

„Was Gott zusammen- gefügt hat ...

... das soll der Mensch nicht scheiden." Worte, die Dir vielleicht heute noch kalte Schauer über den Rücken jagen, weil Du sehr leidvolle Erfahrungen in Deiner Ehe machen mußtest. Es kann aber auch sein, daß Du der Titelzeile des letzten Abschnitts von vornherein keine Bedeutung beimißt. Und so ist es mein Anliegen, alle Mißverständnisse aus dem Weg zu räumen, die den obigen Schlüsselsatz für liebende Partner auf ein Niveau sinken lassen, das er nicht verdient hat.

In diesem Satz verbirgt sich ein Geheimnis. Eine verschlüsselte Botschaft, die etwas Entscheidendes darüber aussagt, *wie* Du mit Deinem Partner (Deiner Partnerin) umgehen und leben oder es zumindest bestmöglich versuchen sollst, bevor Du noch diese Worte aus dem Mund eines Priesters hörst.

Wer oder was ist „Gott", der oder das mit einer solchen Aussage über das Zusammenleben zweier Menschen bestimmt? Wenn Du die obigen Worte wirklich begreifen willst, mußt Du Dir diese Frage stellen und darfst nicht eher aufhören, nach einer Antwort zu suchen, bis Du eine gefunden hast, die Dich zufriedenstellt.

Wie immer Du Dir Gott vorstellst, oder welchen Begriff Du für jene Kraftquelle auswählst, die das Universum hervorgebracht hat, bleibt es Dein ureigenstes Geheimnis, welches Gottesbild Du hast.

Dein Einverständnis vorausgesetzt, will ich Dir meins anvertrauen:

Gott ist eine niemals versiegende Quelle der Liebe, die auch ich meinem Herzen habe. Diese Quelle bringt jene Wunder hervor, die immer dann geschehen, wenn mein „Ich" nicht mehr weiterweiß oder keinen Ausweg zu finden vermag.

Weil Liebe in mir vorhanden ist, ist Gott anwesend und das Unmögliche wird möglich.

Christa:

Ich erinnere mich an einen Abend, an dem ich mit meiner Gruppe in einem Wiener Lokal über das Thema „Schicksal" sprach. Von Karl hatte ich schon wochenlang nichts gehört, doch ich war entschlossen, sein Schweigen zu akzeptieren und ihn liebevoll in meinem Herzen zu bewahren. Auch wußte ich, daß es noch immer die andere Frau in seinem Leben gab. Die vielen Wochen der Ungewißheit waren für mich sehr schmerzlich. Mein Kummer wurde nur dann gelindert, wenn ich ihn Gott anvertraute. Also bat ich täglich innigst, er möge unsere Beziehung heilen.

An jenem Montagabend blieb ich länger als sonst, da sich einige von der Gruppe mit speziellen Fragen an mich wandten. Nebenbei fiel mir auf, daß die Bedienung trotz wiederholter Bitte zu zahlen, nicht erschien. Es war also bereits nach 23 Uhr, als plötzlich die Tür zum Gruppenraum aufging und Karl vor mir stand! Als ich meinen Freund so überraschend und völlig unvorbereitet sah, fühlte ich nur Freude und Liebe! Kein einziger böser, nachtragender oder ängstlicher Gedanke, meine leidvolle Beziehungssituation betreffend, kam mir in den Sinn. Es war nichts in mir, das meine Freude hätte trüben können ...

Dieses Erlebnis wurde für mich zum Beweis, daß es nur eine einzige Wahrheit gibt.

Sie existiert unabhängig von allem Äußeren in meinem Herzen.

Nach meiner Verzweiflung in den letzten Monaten und den Schmerzen meines Liebeskummers war die Erkenntnis, daß trotz alledem nur Liebe in mir ist, wahrhaftig ein Wunder für mich, für das ich zutiefst dankbar bin.

Auf dem Heimweg erzählte mir Karl seine Geschichte:

Sein Arbeitstag hatte mit Überstunden geendet. Anschließend war er bei seiner Mutter gewesen, um nach deren Gesundheitszustand zu sehen und ihr ein bißchen Abwechslung zu bringen. Eigentlich wollte er aufgrund seiner starken Müdigkeit zu Bett zu gehen, als plötzlich folgender Gedanke da war: „Ich setze mich jetzt ins Auto und fahre los." Über meine Gruppentreffen wußte er Bescheid, doch lagen – wie schon erwähnt – Monate dazwischen, seit er das letzte Mal dabei war. Durch das nächtliche Wien fahrend, bekam er wieder eine Idee: „Wenn genau vor dem Lokal ein Parkplatz frei ist, dann ist dies eine Fügung des 'Schicksals' (mein schon lange vorher angekündigtes Thema für diesen Abend!) und ich gehe hinein." Und genauso war es: In einem Bezirk, in dem Parkplätze eine Rarität sind und einige aus diesem Grund viel später gekommen waren, befand sich genau vor dem Eingang des Lokals ein freier Platz – zu einer Zeit (nach 23 Uhr), zu der ich sonst gar nicht mehr dort bin.

Die Aneinanderreihung scheinbarer Zufälle, die zwei Menschen zusammenführen, ist also nichts anderes als eine Kette von Wundern, die nur Gott hervorzubringen vermag. Also geschehen alle wundersamen Zufälle in Deinem Leben nur aus *Liebe*. Und weil Du einen Teil davon in Deinem Herzen hast, wird Gott Dir immer weiterhelfen, wenn Du Dir die Begrenztheit Deines *Ichs* eingestehst: „Ich weiß nicht mehr weiter, bitte hilf mir" und danach Deinen Eingebungen spontan folgst.

Lieber Single, was Gott zusammengefügt hat, das soll der Mensch nicht trennen ... Wenn also *Liebe* Mann und Frau zusammenfügt, welcher Mensch könnte dann je die Macht haben, die beiden auseinanderzubringen?

Vielleicht gibt es noch eine Antwort, nach der Du suchen mußt.

Märchen

Vor unendlicher langer Zeit lebten er und sie als ein Wesen im Garten Eden. Hier gab es nichts, was den Frieden oder das Glück der beiden hätte stören können, alles war vollkommen. Doch eines Tages hatte er (oder sie?) genug von der paradiesischen Eintönigkeit: „Es muß doch noch etwas anderes geben, als diese himmlische Ruhe! Ich will endlich etwas erleben!" Kaum gedacht, geschah et-

was Seltsames: Zum ersten Mal waren die beiden plötzlich zwei völlig verschiedene Wesen! Er war ein „Ich" und sie auch! Vor lauter Aufregung und Freude über diese Verwandlung in zwei voneinander getrennte Ichs konnte weder er noch sie genug davon bekommen, ihre neue Rolle in vielerlei Varianten auszukosten ...

Lange Zeit ging alles gut. Doch irgendwann hatte er plötzlich genug von seinem Wanderdasein. Etwas Wichtiges fehlte in seinem zweifellos turbulenten Leben. Was war es bloß? Eine schier unendlich lange Suche begann, das zu finden, was seine immer größer werdende Herzensleere füllen sollte. „Was fehlt mir? Wo ich doch alles erlebt habe, was ich wollte?" (Sein Interesse, ein Ich zu sein, war auf den Nullpunkt gesunken ...) Genau in diesem Augenblick traf ihn ein Blitz aus heiterem Himmel und er wußte plötzlich wieder, wonach er all die Jahre vergeblich gesucht hatte: „Sie fehlt mir, die vor unendlicher langer Zeit ein Teil meiner selbst war!" Vom Wunder dieser Erkenntnis zutiefst berührt, spürte er neue Kraft in seinem Herzen: „Ich finde sie. Weil ich nur mit ihr das größte aller Abenteuer bestehen kann: In einer Partnerschaft eins zu werden ..."

Und dies kann nur aus Liebe geschehen.

<u>Gott wirkt *in Dir* als *Liebe*, die Dein *Ich* niemals zerstören kann. Daher ist kein einziger Mensch imstande, eine Verbindung zu trennen, die aus *Liebe* zusammengefügt wurde und somit *von Gott gewollt ist.*</u>

Vielleicht kannst Du das als zweite Antwort, nach der Du gesucht hast, gelten lassen und Dein Vertrauen in das Gute allen Geschehens für immer finden. Wenn Gott es möchte, daß Du dem Partner (der Partnerin) begegnest, der (die) *zu Dir* gehört, hast weder Du noch irgendein anderer Mensch die Macht, diese Begegnung zu verhindern. Und wenn Gott bestimmt hat, daß Du mit diesem Mann oder dieser Frau *eins* werden sollst, vermagst weder Du noch andere Personen daran etwas zu ändern ... Sieht es auch manchmal so aus, als hätte Gott auf Dich vergessen, weil Deine letzte Beziehung wieder gescheitert ist, bitte ich Dich um Deinen Glauben, daß Gott dies genauso für Dich gewollt hat und es deshalb gut für Dich ist.

Die Verbindung mit der Frau (dem Mann), die *Gott* für Dich möchte, kann nicht scheitern. Weil Liebe etwas ist, das niemals versiegt.

Lieber männlicher Single, wenn Du eines Tages die Dame Deines Herzens gefunden hast, erinnere Dich bitte daran, daß Liebe es war, die Deine Begegnung mit ihr ermöglicht hat. Und weil Gott möchte, daß Du mit dieser Frau eins wirst, hat er Dich in *Liebe* mit ihr verbunden, die Du in Deinem Herzen stets für sie bewahren mögest.

Lieber weiblicher Single, wenn Du eines Tages dem Prinzen Deiner Träume begegnet bist, erinnere Dich bitte daran, daß Liebe es war, die dies ermöglicht hat. Und weil Gott will, daß Du mit diesem Mann eins wirst, hat er Dich in *Liebe* mit ihm verbunden, die Du immer in Deinem Herzen für ihn bewahren mögest.

Möge Euch die Liebe überall hin begleiten und Euch miteinander von ganzem Herzen glücklich sein lassen ...

Adressen

Dieses Buch ist von der Idee begleitet, daß es irgendwo auf dieser Welt den Partner (die Partnerin) gibt, der (die) sich genauso nach Dir sehnt wie Du Dich nach ihm (ihr).

Wenn Du möchtest, kannst Du mit der Autorin und deren Partner-Vermittlungs-Verein *Single mit Herz* über den Verlag Kontakt aufnehmen.

Windpferd Verlagsgesellschaft mbH
„Single mit Herz"
87648 Aitrang

Werner Koch

Die Kraft der Visionen

**Mit der Kraft der Vorstellung
neue Ziele stecken, Wünsche
realisieren, Energie freisetzen
und dem Leben entscheidende
Wendungen geben
Neue Perspektiven und Horizon-
te entdecken**

Visionen sind Energiequellen, die
unseren Handlungen Richtung und
Sinn geben. Sie führen uns aus
Gewohnheiten heraus, lassen neue
Lösungsmuster vor unserem inneren Auge entstehen, erweitern
unser Verständnis und verändern
unsere Wirklichkeit.
Visionen haben heilende Kraft: Wir
können mit ihrer Hilfe das Hormon-
system stärken und erkrankten Zel-
len den Weg zur Gesundung zeigen. Bilder, die krank machen,
werden zu Krankheitsbildern.
Dagegen werden Vorstellungen zu
Medizin, wenn sie durch heilende
Bilder ersetzt werden.
192 Seiten, DM/sFr 19,80/
öS 155,00, ISBN 3-89385-158-5

Dr. John Grey, Bonney Meyer

Gute Karten für die Liebe

**Ein inspirierendes Karten-Set
für Klarheit, Glück und Erfüllung in Beziehungen und Part-
nerschaften**

Mit „Gute Karten für die Liebe"
können wir mehr Klarheit in unsere Beziehungen bringen und konstruktiv handeln. Das Karten-Set
ist eine Quelle der Weisheit und
ein liebevoller Führer, der uns
hilft, die Art von Beziehung zu
schaffen, die wir wirklich wollen –
ob es sich nun um persönliche,
freundschaftliche oder geschäftli-
che Beziehungen handelt.
Die Karten zeigen, was uns im
Moment zu unserem Glück fehlt
und welche anderen konstrukti-
ven Alternativen es gibt – damit
wir uns wieder wohl fühlen können. Das Buch enthält einen
Kommentar zu jeder Karte und
zeigt, wie man sie benutzt.
160 Seiten und 64 Karten
DM/sFr 49,80/öS 389,00

Kimberley Marooney

Engel – Himmlische Helfer

Engel-Karten für göttliche
Führung und Inspiration

Engel sind himmlische Helfer, sie
wollen helfen und unterstützen, die
göttliche Wahrheit und Zusammen-
hänge zu erkennen und Hilfe und
Beistand in allen Lebenslagen lei-
sten.
Kimberley Marooneys Werk ist
bestens geeignet Menschen in
Kontakt, mit den himmlischen Hel-
fern zu bringen. Verschiedenste
Legesysteme mit entsprechenden
Interpretationen erleichtern den
Weg und schon nach kurzer Zeit
können wir unsere himmlischen
Helfer bewußt wahrnehmen.
Je stärker wir uns der Weisheit der
Engel öffnen, desto mehr werden
sie uns mit ihrer unvorstellbaren
Liebe und Freude umgeben.

208 Seiten und 44 Engel-Karten
DM/sFr 49,80/öS 389,00
ISBN 3-89385-144-5

Franz Benedikter

Die Psyche streicheln

**Die Geheimnisse zärtlicher
Berührung.
Wie durch streicheln Hormone
freigesetzt werden, die glücklich,
gesund und schön machen**

Durch sanftes Berühren bestimmter
Körperzonen entspannende oder
aktivierende und euphorisierende
Hormone freisetzen.
Franz Benedikter zeigt mit seinem
kompakten Übungsprogramm, wie
man durch Selbst- und Partner-
Massage, die eher ein zärtliches
Berühren ist, auf das gesamte
Wohlbefinden einwirken kann. Wie
neueste wissenschaftliche Erkenntnisse belegen, lösen Berührungen
der Haut hormonelle Reaktionen
aus. Endorphine bringen Glücksgefühle, erhöhen die Leistungsbereit-
schaft, heben das Lebensgefühl
und steigern die sinnliche Wahrnehmung.

160 S. DM/sFr 19,80/öS 155,00
ISBN 3-89385-143-7

Melissa Gayle West

Wenn ich nur eine bessere Mutter wäre...

Wenn Mütter sich schuldig fühlen und glauben, nicht gut genug oder nicht verfügbar genug zu sein. Ein Weg zu emotionalem Gleichgewicht und spirituellem Wachstum

Frauen, die Probleme mit dem Ideal der "guten Mutter" haben - und das sind 99 % aller Mütter -, werden dieses Buch begrüßen - weil es ihnen zeigt, wie sie ihren Ärger, ihre Frustration aus Überforderung und ihre fortwährenden Schuldgefühle und unproduktiven Selbstzweifel als Anlaß zu einem kreativen und spirituellen Umgang mit sich selbst verändern können. Ein wichtiges Buch, das die verborgenen Gefühle vieler Mütter in positivster Weise verändern wird. Melissa Gayle West ist Mutter und Familientherapeutin.

176 Seiten, DM/SFr 19,90
ÖS 155,00 ISBN 3-89385-120-8

Cheryl Hetherington

Nie mehr abhängig sein

Erkennen und verändern: Beziehungsmuster, in denen man sich selbst verliert

Das Buch beschreibt mit kurzen Beispielen die Verhaltensmuster, die mehr als Indizien dafür sind, daß in Beziehungen zu viel Leid empfunden wird.
Co-Abhängigkeits-Muster werden diese Verhaltensweisen genannt, die sich vornehmlich als Reaktion auf einen oder mehrere Menschen beschreiben lassen. Wie kann man diese leidverursachenden Muster verlassen?
Das Buch bietet ein Lernprogramm, das hilft, bestimmte Dinge im Leben zu verändern - damit die eigenen Bedürfnisse angenommen und eigene Ziele entwickelt werden können: Für Co-Abhängige die wichtigste Aufgabe, die es in ihrem Leben zu lösen gibt.

144 Seiten, DM/SFr 19,80
ÖS 155,00 ISBN 3-89385-120-8

Gaby Rossbach

Visuelle Meditationen

**Wege zum inneren Frieden.
Kraftvolle Meditationen zur
Tiefenentspannung, Atemharmo-
nisierung, Energetisierung, Hei-
lung und Harmonisierung von
Aura und Chakren**

„Visuelle Meditationen" ist ein ganz
und gar praktisches Handbuch und
wertvoll für alle, die gern meditie-
ren. Bilder wie "Edelsteinhöhle",
"Wanderung durch die Licht-
sphären"und "Tempel im Himalaya"
machen das Entspannen,
Genießen und Davon-schweben zu
einem Körper, Seele und Geist
belebenden Ereignis. Diese visuel-
len Phantasiereisen mit ihrer
archetypischen Bilder- und Sym-
bolwelt wirken tief in die Psyche
und Seele hinein und führen zu den
höchsten Stufen spiritueller Medi-
tation, in einen Raum von überwäl-
tigender Stille und Klarheit.

144 Seiten, DM/SFr 19,80
ÖS 155,00   ISBN 3-89385-108-9

Chris Foster

Wind über den Wellen

**Liebe und Leben, Karma und
Schicksal, verwoben in das feine
Netz subtiler Energie, das alles
Lebendige miteinander verbindet**

Dieses Buch berührt das Herz wie
ein wärmender, liebevoller Licht-
strahl. Liebe verbindet alle Wesen
und Erscheinungen. Sie ist eine
Macht, stärker als alles Unglück,
alle Angst oder Einsamkeit. Und sie
besitzt die Kraft zu verwandeln. Die
Geschichte: vier Lebenswege, die
nur scheinbar zufällig zusammengeführt werden - und ein verbinden-
des Netz von Energien ist ins
Leben gerufen. Ein Wal, ein zwei-
tausend Jahre alter Redwood-
Baum, ein Mann und eine Frau.
Eine ergreifende, spirituelle Liebes-
geschichte.

144 Seiten, DM/SFr 16,80
ÖS 131,00   ISBN 3-89385-105-4

Shalila Sharamon • Bodo J. Baginski

Einverstandensein

Die Erlösung des Schattens

Der Weg zur Einheit führt über das Einverstandensein und damit über die Erlösung des "Schattens", also all jener Anteile der Ganzheit, die wir in die Einseitigkeit verdrängt haben und die uns in Form von Schicksal, Krankheit und Leid wieder begegnen. Das Einverstandensein führt uns zu unserer eigentlichen Mitte und somit zu wirklicher Heilung, zu einer Entfaltung unseres gesamten Potentials an Liebe und schöpferischer Energie. Der "Schatten", seit C.G. Jung Synonym für all jene Anteile der Ganzheit, die durch den Menschen ins Unbewußte verdrängt und abgeschoben wurden, erfährt durch die hier dargestellte Methode eine tatsächliche Erlösung aus der Verbannung.

176 Seiten, DM/SFr 19,80
ÖS 155,00   ISBN 3-89385-086-4

Kwan Lau

Die Geheimnisse der chinesischen Astrologie

Ein praktisches und umfassendes Handbuch der chinesischen „Kalender-Psychologie"

Astrologie der Selbstwahrnehmung

Die chinesische Astrologie will unsere Selbstwahrnehmung steigern. Sie öffnet uns eine größere Bandbreite an Wahlmöglichkeiten und die Mittel, gegenüber der wirklichen Welt, in der wir leben und in der wir nach dem Besten streben, zu positiveren und einfühlsameren Einstellungen zu gelangen.
Kwan Laus Arbeit sticht besonders hervor durch den für akkurate Interpretationen unabdingbaren chinesischen Astrologiekalender, der bis in das Jahr 2050 reicht und einem vereinfachten I-Ging-Münzorakel, das auf uralten Texten basiert.

208 S. DM/sFr 24,80/öS 194,00
ISBN 3-89385-141-0

Shalila Sharamon, Bodo Baginski &
Merlin´s Magic

Chakra-Meditation

Eine akustische Reise nach
innen zu den Zentren der Kraft

Die Chakra-Meditation entführt den
Zuhörer mit subtilen Klängen und
inspirierenden Texten in seine inneren Welten. Die Kompositionen,
die Töne, die Instrumentierung und
die fein in die musikalische Struktur
eingewobenen Naturklänge sind
ein faszinierendes und inspirierendes Werk, das in der Welt der
meditativen Musik neue Maßstäbe
setzt.
Kassette einlegen, zurücklehnen,
entspannen, zuhören. Und schon
beginnt ein faszinierendes Abenteuer, eine Reise nach innen, zu
den Zentren der Kraft.
Begleitkassette zu: „Das Chakra-
Handbuch"

MC (ca. 35 Min.)
Text und Musik
in Buchbox mit Begleitheft
DM/SFr 29,80/ÖS 233,00
ISBN 3-89385-060-0

Shalila Sharamon • Bodo Baginski

Das Chakra-Handbuch

Vom grundlegenden Verständnis
zur praktischen Anwendung

Dieses Buch bietet eine umfassen-
de Anleitung zur Harmonisierung
unserer feinstofflichen Energiezentren. Das Wissen um die Chakren
vermittelt uns tiefe Einsichten über
die Wirksamkeit der subtilen Kräfte
im menschlichen Organismus. Zur
praktischen Chakra-Arbeit beschreibt das Buch präzise eine
Fülle von Möglichkeiten: die
Anwendung von Klängen, Farben,
Edelsteinen, Mantren und Düften
mit ihren spezifischen Wirkungen
auf die einzelnen Energiezentren,
ergänzt durch verschiedene
Meditationen, Körperübungen,
Atemübungen und Naturerfahrun-
gen.
Ein reich illustrierter esoterischer
Bestseller.

256 Seiten, DM/SFr 19,80
ÖS 155,00   ISBN 3-89385-038-4